DIANE DUFRESNE

CENDRILLON KAMIKAZE

À PARAÎTRE DANS LA MÊME COLLECTION :

Andrée Lachapelle (Théâtre) par Marcel Dubé

Louis Lortie (Musique) par Georges Nicholson

Ginette Laurin (Danse) par Henri Barras

André Ducharme

DIANE DUFRESNE
CENDRILLON KAMIKAZE

Portrait de la page couverture :
Jean-François Bérubé

ÉDITIONS MNÉMOSYNE
Collection Portraits d'artistes

La collection Portraits d'artistes est dirigée par Henri Barras.

Conception graphique et mise en page : Lacroix O'Connor Lacroix, inc.
Révision des textes : Pierre Salducci
Les photos des pages intérieures sont de :
Jean-Francois Bérubé : p. 9-18
Michel Ponomareff : p. 10-11, 25, 46-125, 72, 86, 89, 93, 96, 98, 100, 105, 109-118, 114
Studio Robert : p. 59-63
André Pichette : p. 67-103
Claudine Larocque : p. 69, 80, 83

La chronologie a été préparée en collaboration avec Claude Raymond et la discographie en collaboration avec Claude Raymond et Marlène Paradis.

839, rue Sherbrooke est
Suite 101
Montréal (Québec) H2L 1K6

ISBN 2-921786-01-X

Diffusion: Diffusion Prologue inc.
1650, boulevard Lionel-Bertrand
Boisbriand (Québec) J7H 4N7

Dépôt légal 4e trimestre 1994
Bibliothèque nationale du Québec
Bibliothèque nationale du Canada

Achevé d'imprimer en octobre 1994
Imprimerie Gagné ltée
80, avenue Saint-Martin
Louiseville (Québec)
J5V 1B4

Remerciements

L'auteur remercie Bobby Jasmin, Robert Vinet, Ginette Nantel, Claude Raymond, Loui Mauffette, Robert Ferron, Monique Désy, Monique Lavoie et Marlène Paradis.

PRÉFACE

Quand j'ai reçu le téléphone de M. Henri Barras, éditeur, qui me parle d'un projet de livre sous forme de rétrospective, hum ! instinctivement j'ai hésité. Le passé est dépassé, alors pourquoi revenir là-d'ssus ? Mais en terminant la conversation, il me suggère André Ducharme pour l'écrire et là, je n'hésite pas longtemps. Juste le temps d'en parler avec un homme que j'estime énormément : André Ducharme.

Cher ami ! Malgré son désir de faire un travail aussi ardu, il me protège en m'avertissant de tout ce que cela exige et implique, et puis « On en dit toujours plus que l'on pense ». Y'a ben raison.

Avec lui une rétrospective prend de la perspective. M. Ducharme me connaît depuis quelques années et mes non-dits sont pour lui un langage. Accompagnée de sa tendresse, je fouille dans mes souvenirs en sachant que ma mémoire fait des trous pour ensevelir une douleur qui se réveille. Pourtant, à chacun de nos rendez-vous, aucune souffrance n'apparaît, au contraire. Je cherche, je découvre d'autres émotions qui, avec le recul des années, deviennent une respiration. Avec André revenir en arrière me fait avancer, comme lorsqu'on fait un grand ménage pour faire de la place.

Voilà, c'est fait. Le soir de mon anniversaire, nous parlons du livre. Je vais partir pour la Californie et André insiste pour que je lise son texte. Moi, je suis convaincue que si je dois écrire une préface, il vaut mieux que je ne le lise pas. Sa bienveillance me séduit, surtout qu'il ajoute : « Tu sais, ça commence raide » ; j'lui réponds : « Ça va être le fun », phrase assez usée, mais pas dans mon cas. Et j'ai lu...

En respirant l'air salin, je regarde l'immensité du ciel épousant la mer. Un beau chien vient vers moi, il n'a que trois pattes. L'instant présent prend une telle dimension que j'me dis qu'il ne manque rien à ce chien que je caresse. Les apparences savent si bien mentir pour jouer avec une certaine réalité.

Diane Dufresne

AVOIR ÉTÉ
ET ÊTRE DE PLUS EN PLUS

« JE pense qu'il est important d'être un homme ou une femme en colère ; le jour où nous quitte la colère ou le désir, c'est cuit. »

Barbara

Il est de notoriété publique que Diane Dufresne a un sale caractère. La presse aime bien délirer sur ce thème, le développer à la spatule pour l'imaginaire collectif : elle est donc égoïste, narcissique, égocentrique, capricieuse, intransigeante... et il y en a sûrement de meilleures. Parfois, pour fermer les bouches, on dit : c'est une

diva, avec la traîne de points de suspension et de oh ! ah ! que le mot, surtout le statut, suppose. On a longtemps dit aussi, pour couper court, qu'elle était folle. Les douaniers, inquisiteurs si raffinés des aéroports de Dorval et de Mirabel, se poussaient du coude quand elle arrivait : « Venez, les gars, v'là la folle. » Eh bien, moi, j'embrasse le sale caractère de la diva folle si c'est le prix des torches qu'elle allume dans l'imagination. J'aime cette fée, j'aime cette brute, avec ses trous et ses trop-pleins. « J'ai un christ de caractère et c'est avec moi que je suis la plus dure. »

C'est avec ce caractère que j'ai passé l'été 1994. Drôle d'été d'ailleurs, il a fait tous les temps : pluie, canicule, froid, ouragan. Temps propices aux climats de la chanteuse. J'ai passé les moments bouillants de l'été avec Diane Dufresne, à chercher du vent sous les ventilateurs, à boire du Perrier ou du champagne, à tirer sur un joint pour nous mettre en train, à marcher dans les rues – et c'est plus simple à écrire qu'à faire, quand on est avec Diane Dufresne –, chez elle, dans les restaurants, dans mon auto. J'ai passé des bouts de l'été avec la plus importante chanteuse francophone du monde, sans robe à cerceaux, sans fumigènes, sans applaudissements. Avec pour seuls effets spéciaux : ses yeux comme des lacs brouillés, ses cheveux en broussaille, sa bouche charnue, sa poitrine présente, prenante, maternelle, ses mains d'ouvrière et son parfum Mûre et Musc qui aromatise les alentours.

Visite en son domaine

Un samedi particulièrement beau, on part en pèlerinage dans les coins préférés de son quartier : des boutiques d'antiquités, un café qui le sert musclé, le vieux Théâtre Corona qui attend une couronne et une direction artistique qui lui irait si bien, le marché Atwater bombé de fruits et de légumes auquel il lui arrive de penser quand elle est ailleurs... Elle marche d'un pas décidé, entêté, un peu penchée en avant comme pour parer les coups. Un bouc rock. Autour, il y a des gens heureux de la reconnaître. On la suce des yeux, on lui sourit, on

Moment de détente en juin 1977. Elle chante au Stade avec une pléiade d'artistes. Elle ne sait pas qu'elle va y revenir... toute seule !

lui dit « Allô Diane ». Ce n'est pas la détente totale, le fond de l'air effraie. Je connais son humeur cosaque, son ton bravache. Elle est tantôt d'une gentillesse aiguë, tantôt d'une sécheresse extrême. On n'est jamais trop sûr du mobile qui provoque l'une ou l'autre attitude. Le moins que l'on puisse dire c'est que cette conduite est déstabilisante. Ça peut lui prendre au restaurant, à la pharmacie, dans la rue. Quelqu'un la regarde obliquement, lui adresse la parole mais sans avoir fait le tri des bons mots, et hop la machine s'emballe, fonce, casse. Il ne reste plus grand-chose de lui – une flaque – après le passage sec et rapide du rouleau compresseur. Plusieurs goûtent à ce traitement, car personne ne sait comment tenir la distance entre la proximité affectueuse et l'excès de familiarité. Vrai aussi que ses mots ne portent pas de culotte ; elle connaît parfaitement le vocabulaire du charretier. Elle a donc une langue de feu qui brûle les ticœurs fragiles. « Je sens un poids sur moi quand je ne suis pas en train de préparer un spectacle. C'est dur à ce moment là d'être toujours regardée. Je n'appartiens à personne. Je peux devenir agressive. Je ne réponds pas quand on me demande : C'tu toé, Diane Dufresne ? Qu'on commence par me saluer. »

Ce samedi-là, donc, en remontant vers chez elle, le long de la *track* longeant le canal Lachine, belle et poignante sous son chapeau fruitier, comme d'autres diraient « j'ai envie d'un hot-dog », elle me dit : « Il faut que cesse toute cette solitude, sinon je vais y voir. » Phrase ambiguë dont elle détient le secret et la clé. Il fait un soleil dégoulinant, je bafouille des banalités pour conjurer la gravité, et je dessine un grand geste, comme si je chassais des maringouins : il fait chaud, on sue, ça pourrait pas être léger ? Mais Diane Dufresne ne prend rien à la légère. Elle ne se laisse pas étourdir par le tourbillon des plaisirs, le manège des joies ordinaires. C'est une femme sérieuse, préoccupée, concentrée. Il y a longtemps que le bonheur a éteint la lumière chez elle. Je l'ai connue triste. Une tristesse métaphysique, je dirais, comme une volupté.

À Montréal, où elle se trouve bien plus souvent qu'on le pense, elle habite, dans un quartier populaire, Saint-Henri, un grand appartement hissé sur trois étages. Moderne, lumineux, zen. Au rez-de-chaussée, jette des éclairs de couleurs l'inventaire, presque complet, de ses costumes de scène : itinéraire d'un parcours professionnel placé sous cellophane. Il y a là des paillettes, des frissons de tissu, des robes griffées, des chapeaux insensés, une histoire, une fortune. « Qui en voudrait ? » Cette humilité n'est pas de la modestie : trente ans de carrière nous regardent. L'humilité est un sentiment vertical qui tient en état d'alerte. Cette collection de costumes digne d'un musée, c'est la seule politesse qu'elle fait au passé. Car elle s'affole quand on l'entraîne dans les allées du souvenir (voyez la difficulté pour ce livre !). « Le passé, c'est réglé, c'est du vieux. Il y a encore parfois des douleurs qui remontent, mais je m'arrange pour les tasser. Je suis désolée pour ceux qui aimeraient que je me souvienne. J'ai oublié le visage de ma mère que j'aimais tellement ; quand on arrive à cela, on peut oublier tout le reste. Et c'est tant mieux. On est plus léger pour le présent. Seul le présent compte, car il est éternel. »

Star sans système

On la croit (encore ?) riche. Elle ne jette pas ses bijoux par la fenêtre comme Ava Gardner, elle n'imite le geste d'Ava que pour disperser les squelettes de roses quand les pétales exhalent leur parfum ocre et définitif. C'est une star qui n'en a pas les moyens, une star sans système. Ce qui ne l'empêche pas de jouer le jeu à fond. Quand elle est lunée diva, elle peut aller s'acheter une pizza en Bentley, s'orner de chapeaux indescriptibles, embrayer sec dans les caprices, en faire stresser quelques-uns. Et fasciner tout le monde, car l'excès captive. Si être star ou diva, c'est faire ce que l'on veut, ménager ses apparitions, choisir ses collaborateurs, agir en professionnelle du spectacle, donner l'exemple du travail et de la discipline, elle l'est sans contredit. Dufresne adhère parfaitement à la définition proposée par l'acteur Pierre Arditi : « Une star, c'est un extraterrestre, quelqu'un qui possède quelque chose que les autres n'ont pas et n'auront jamais. »

Dieu, ou qui vous voudrez, lui a donné une âme rebelle, qui est la marque des êtres passionnants. Cette âme s'est révélée peu à peu, au fil des années, enfouie qu'elle était sous des strates d'éducation stricte, de conformisme imposé. Elle aurait pu se ranger ; déranger était son karma. Les êtres agités de corps et d'esprit ne sont pas de tout repos (mais qui voudrait d'un artiste calme et paisible ?). Il est difficile d'exister à côté d'eux à moins d'avoir le cœur et l'ego bien accrochés. Qualifié ou pas, on veut pénétrer dans leur halo pour scruter le phénomène, pour témoigner. Les êtres humains que Diane Dufresne accepte dans le cercle de sa présence sont considérés comme des paillassons par ceux qu'elle garde sous le porche. Toujours la même rengaine : Tu m'aimes pas, je me venge ! Comme si elle vampirisait chaque être qu'elle admettait dans son éclairage. Ah, ce qu'on ne dit pas sur la cour, l'arrière-cour et la basse-cour de Diane Dufresne. Mais que se passe-t-il dans une relation amicale ? Je ne parle pas de la relation idéale, que personne n'a jamais connue, mais de celle qui se pratique chaque jour dans le monde. Prenez votre temps pour répondre. La plupart des gens renoncent à lui dire ce qu'ils pensent réellement de peur de recevoir une brique et le fanal sur la tête. Ils les recevront de toute façon, aussi bien affirmer leur point de vue tout de suite. Ce n'est pas parce qu'elle parle fort qu'elle n'écoute pas.

C'est vrai, elle a réussi une « cure de détachement » qui a passablement dégarni la place. Elle se trouve à la cime de la solitude, à la lisière de la misanthropie, ce qui ne huile pas ses rapports avec autrui. Elle, qui sur scène est la meilleure organisatrice de *party* en ville, met le thermostat d'ambiance au plus bas quand elle rentre quelque part avec sa chaudière de chaux vive. Tout le monde se tait ou tout le monde parle en même temps, les ulcères et les crampes sont au bal, ce qui pince un brin l'atmosphère. Ce n'est pas une boute-en-train, elle ne s'assoira pas sur une chaise truquée pour dérider la compagnie en s'affalant dans un carnaval de grimaces. Si elle est drôle, c'est malgré elle, parce qu'elle est maladroite ; par contre, elle rira à ventre déboutonné d'une blague bien expédiée, avec une préférence même pour les «salées». Parfois elle largue des phrases qui ne semblent avoir ni cap ni boussole, et que l'assemblée fait semblant de ne pas entendre, ou d'autres, coupantes de lucidité, qui glacent le sang sur-le-champ. Elle laisse souvent dans l'air un parfum de paroxysme, une poudre de gravité que disperse momentanément son bouleversant éclat de rire qui change la couleur des choses.

Quand elle parle, elle crée des images fulgurantes, emploie des mots qui n'existent pas, est sensible aux sons, aux harmoniques. En général, les gens qui la rencontrent pour la première fois ont du mal à saisir le sens de ses paroles. Elle pratique une espèce de jargon fait d'ellipses, de raccourcis, d'énigmes même. Elle ne termine pas ses phrases, désaxe la syntaxe, ne place pas toujours les événements dans le bon temps. C'est sa poésie. Si elle a confiance, elle confesse les choses les plus intimes. Si l'on force, sa colère pleut à seaux.

La colère de Diane Dufresne. Ses cornes, sa syncope. Cette colère qui passe par sa voix, qui part en culbutes et en vrilles pour forcer l'oreille apeurée de l'autre. C'est un beau péché la colère, pas toujours mauvaise conseillère, c'est une abeille qui pique les mielleux, les moelleux. Souveraine Dufresne dans cette colère-passion qu'elle ne sait pas doser, qui lui sert à la fois de barricade et de purification. Pour éviter les jets brûlants de sa colère, ne lui dites jamais ce qu'elle doit faire. Soyez intelligent, créateur, drôle s'il le faut, mais ne lui imposez rien. Sa fureur griffe les prétentieux, les morveux, les cancres, les paresseux. Ça fait du monde au bout du compte.

À peu près tout le monde veut devenir meilleur. Alors, pourquoi cette colère comme principale émotion témoignée ? « Par peur d'être touchante, ce qu'elle est entièrement » disent quelques amis qui ajoutent : « C'est à elle qu'elle dit des bêtises quand elle envoie chier le monde. » Excusez cette psychologie de fin de semaine mais son arrogance, c'est son bouclier. Comme si toute la douleur déjà accumulée n'acceptait plus de se comprimer pour faire place à du stock plus frais. Torturée, elle torture son entourage. L'empathie et la distance sont ses armoiries. Elle peut se déchirer en morceaux pour ceux qu'elle aime ; vous avez du chagrin, elle le prend, vous en nettoie. Puis soudain, elle se sent manipulée par sa propre compassion, elle fuit. Dans les catastrophes, elle est extraordinaire. Il y aurait des morts et des blessés, elle saurait quoi faire, quoi dire, comment soigner, consoler. Puis elle s'éloignerait à l'arrivée des secours officiels. Diane Dufresne ne fait pas de spectacle de l'aide qu'elle apporte.

La solitaire de l'amour

Un jour, on se cloître dans la solitude pour casser les habitudes, pour arrêter la ronde des comptines telles que : « À quel restaurant on va manger ?», « Qu'est-ce qu'on fait en fin de semaine ?», « Qu'est-ce qui joue à la télé ? », pour farfouiller dans ses souterrains. On finit par s'engloutir dans cette solitude, dans une frénésie soudée par l'orgueil, et on désapprend presque à être humain. Diane s'impose un mode de vie monastique comme pour tester son endurance. Elle va jusqu'au fond du bocal puis ne sait plus comment remonter vers le couvercle. Le quotidien la ruine, la mutile. Elle s'en arrache chaque fois qu'elle le peut, mais il la rattrape toujours, de plus en plus radoteur ; alors elle se donne à lui jusqu'à être maculée de ses éclaboussures. Quand elle se met au ménage, par exemple, ôtez-vous de là, « je balaye mes névroses » comme elle dit dans *Cendrillon au coton*. C'est une maniaque de la propreté. Une poussière qui a le malheur de rôder est immédiatement happée, la surface remise au lisse. Relique de l'enfance sans doute, alors qu'une grande part de sa valorisation venait de son talent à faire briller la maison.

Veut veut pas, l'excès de solitude déboussole. Seul, tout est possible : on franchit les montagnes et les océans, comme l'enfant

Diane « incognito » dans un Forum qui va se remplir pour *Détournement majeur*, en 1993.

qui croit tout ce qu'il imagine. Mais quand on revient au monde, les barrières s'élèvent. « Je ne m'en suis pas rendu compte, je suis tombée dedans. Je pensais que ça allait durer quelques semaines, c'est là depuis des années. La solitude m'a permis de l'assumer d'abord, et de faire des choses, d'essayer du neuf. J'ai longtemps été entourée de gens qui prenaient, qui se servaient... J'ai eu besoin de me récupérer. Puis la solitude s'est installée avec ses rituels... et ses mauvaises habitudes. Le contact avec les gens est de plus en plus difficile, car même au milieu d'eux c'est comme si je les voyais de loin. C'est malade. J'ai du mal maintenant à accepter quelqu'un chez moi. Ça me désorganise... »

Tout le monde lui souhaite un compagnon de vie. « Qu'est-ce que les hommes peuvent bien faire maintenant avec moi ? Des guidis-guidis ? Je suis loin de ça. J'ai eu des passions, oui, mais ça fait longtemps que je n'ai pas ressenti le grand choc amoureux. » Ce qui ne l'empêche pas de s'amuser. Il faut la voir à l'œuvre, elle flirte si ouvertement que le gars n'en croit pas ses hormones, elle lui regarde les fesses, va droit au but, parle de cul. Évidemment, son approche décolle les étiquettes de la féminité : on ne se bouscule donc pas au tourniquet des liaisons. Elle intimide les hommes. Elle fait des avances, ils fuient ; ils sont d'attaque, elle part. Elle craint comme la peste le quotidien à deux, incapable de s'en accommoder toute seule. Quand on finit par boire au même verre, à faire son hygiène côte à côte, l'amour s'endort dans le lit des niaiseries. Alors, il vaut mieux être seule que mal accompagnée. Aujourd'hui, elle n'a plus envie de montrer son corps à personne, elle remballe l'emblème de la séduction, elle qui en avait fait au début de sa carrière une valeur de spectacle et de libération. Mais la pudeur n'est pas le contraire de l'extraversion.

Avec sa robe de mousseline et ses gants de boxe, elle est dans le salon d'attente de l'amour depuis plusieurs années. Mais qui pourrait lui tenir la main ? C'est déjà pas facile de vivre avec une chanteuse, imaginez avec Diane Dufresne ! Il faudrait un homme solide dans son pantalon, capable de la convaincre de sa tendreté, là, ici, partout, de prévoir ses besoins tout en lui servant de grands bols d'air. Et puis cet homme aurait un adversaire de taille : le public. Houle, boule d'amour. Sa cathédrale. « Je ne laisserais plus tomber le métier pour un homme. Mais je prendrais sûrement des mois de congé... »

Un ami décoche une image forte : « On sent parfois qu'elle est dans une maison de verre. Pour communiquer avec elle, les gens doivent casser des vitres. Ce qui bien sûr la brusque énormément. » Plusieurs personnes, qui constituent ce qu'on pourrait appeler son « entourage », ont érigé les murs de cette maison pour la protéger. De quoi ? Du grand méchant loup ? Peut-être même l'ont-ils fait pour la garder pour eux. Quand on aime, on croit bien faire, mais il ne faut pas s'étonner ensuite que la femme en verre ait du mal à se connecter à la réalité. Tout de même, avez-vous remarqué que ceux qui vivent le moins normalement sont justement ceux qui gravitent autour de la vedette ?

Oui, c'est une paranormale

On ne sait, au fond, jamais grand-chose des êtres, sinon qu'il existe entre eux des connexions possibles, des correspondances temporaires, des regards croisés. Quand j'ai rencontré Diane Dufresne la première fois pour une entrevue, en 1984, j'ai éprouvé une sorte de douleur en regardant ses beaux yeux d'un ciel pâle. Sa peau fine sur l'ossature des joues m'a ému. Elle avait la rigidité fragile d'une femme blessée. J'étais impressionné, empli jusqu'aux oreilles de tout ce qu'on m'avait dit sur elle, de ses bourrasques de colère, de son humeur abrasive, de son discours monosyllabique, de son accès verrouillé, tout pour plaire quoi ! J'avais pris mon air intelligent, mais ma bouche zigzaguait de nervosité. Devant son sourire franchement déployé, j'ai cru m'être trompé de chanteuse. Déçu à la limite. Ouf, heureusement, pour ne pas faire mentir sa réputation, elle s'est emportée, façon d'être en phase avec l'image de la femme brumeuse, à cause de mes questions mal formulées ou carrément épaisses. (Ben quoi, je commençais dans le métier !) Mais il s'est passé quelque chose entre nous, une concordance de vibrations, une séance de rire, au point que j'ai fini par compléter ses phrases. Depuis, elle m'envoie des doses d'énergie, des vitamines d'imagination, même par télécopieur. Elle me téléphone au moment où j'ai le moral dans les chaussettes, m'écrit quand je suis en panne d'inspiration. Clairvoyance, affection ? Entre elle et moi se produisent des curiosités télépathiques. Ne fuyez pas, j'arrête ici le char des digressions paranormales.

Paranormale, presque. On dira tout ce qu'on voudra sur elle mais Diane Dufresne a révolutionné le showbiz, réinventé le métier d'interprète, défini un nouveau type de spectacle en décapitant la formule du défilé de chansons (vous savez : une lente/une vite/une lente/une vite), elle a désaliéné le spectateur de son rôle passif de spectateur, tourneboulé les petits lieutenants du métier, ceux qui se tiennent à la périphérie mais qui ont les mains et les dents longues. À 50 ans, toujours à rebrousse-poil, refusant toute nostalgie, remettant chaque fois tout en cause, elle reste dans la marge, intègre, debout, abrupte et seule. *Bum* toujours, diva parfois, et si peu en comparaison de certains chanteurs ou acteurs dont le talent tient dans un dé à coudre et l'ego dans un Concorde. *Bum* ou diva, elle n'est jamais celle que l'on voudrait. Elle ne donne pas de nouvelles pendant des semaines, décroche son téléphone pour ne pas en recevoir, puis tout à coup, elle prépare un panier de pique-nique qui ferait loucher Lenôtre, sort sa voiture des dimanches, y installe ceux qu'elle aime et part étendre sa nappe de merveilles dans la campagne... On l'attend à une réception, elle ne vient pas ; on croit qu'elle va gueuler, elle rit ; tout baigne dans la douceur, elle grogne. Elle est imprévisible, ambiguë, paradoxale. Feu et glace, soie et sang, cendrillon et kamikaze. Double, complexe, précieuse. Elle est insupportable, c'est sûr, mais je l'aime.

Les amis nous veulent du bien, c'est bien connu. Les siens, du moins une partie des siens, voudraient qu'elle apprenne la patience et la tolérance, qu'elle calme ses tempêtes, cultive la paix et, pourquoi pas, la joie. Ils ont hâte que lui passent son incursion chez les anges, son rapprochement avec les scientifiques, ses propos alarmistes sur la terre qui se dégrade et quoi encore. Ne vaut-il pas mieux croire en cela qu'en son chalet dans le nord ? Entre être trop préoccupé et ne pas l'être du tout, qu'est-ce qui est préférable ? Et puis ce sont ses loisirs à elle, ses passions, comme d'autres taquinent le poisson, collectionnent les timbres ou se pètent la tête en benji... Leonard Cohen a dit dans un magazine français : « Depuis dix-huit ans je dis dans mes chansons que la fin de notre monde arrive, on m'a toujours pris pour un déprimé chronique. Mais le chaos a déjà bien commencé. » Les chansons de Cohen ne sont pas très gaies. Lui, il peut secouer les consciences, pas elle. Car chacun, n'est-ce pas ?, doit rester à sa place. Un compositeur compose, une chanteuse chante, un public applaudit. Ça ne marche pas comme ça avec Diane Dufresne. C'est dans les sens interdits, dans les culs-de-sac qu'elle s'engage.

Il n'y a pas que les amis qui la voudraient plus souple, il y a aussi le milieu et la presse tous si pressés d'en finir avec ses « lubies » qu'ils rêvent ou inventent, et avec ce mythe qu'ils ont eux-mêmes construit. On s'acharne à lui trouver des poux, on casse du sucre sur son dos. « Je suis quelqu'un de violent. Normal que j'attire la violence. » On oublie au fur et à mesure ses états de service, mais on retient ses crises, ses cachets, ses ruptures. On parle d'elle comme d'une débutante, comme si elle n'ouvrait pas le cortège de tout ce qui compte en matière de showbiz au Québec, et même en France. Après elle, la chanson ne sera plus jamais la même. Elle est la seule à soulever le public comme elle le fait, mais on traite ce public de troupeau sans tête, sans faire la nuance entre les dévotions hystériques de quelques irréductibles et le plaisir simple et dansant de tous les autres à qui elle donne du talent en excitant leur imagination. Quand Alain Souchon ou Peter Gabriel disent aux Québécois : « Vous êtes le plus beau public du monde », la presse, qui rapporte le compliment, en rougit de chauvinisme ; si c'est Diane qui le dit, la même presse en a des hoquets d'ironie et en fait des gorges chaudes.

LA FEMME SPECTACLE

Dufresne suit une ligne pure et dure, en dehors de tous courants porteurs. Ni artistiquement, ni socialement correcte. Que la femme ait du mal à gérer les rapports humains, c'est une chose ; ce que la chanteuse apporte et a apporté au Québec en est une autre, et elle est capitale. Conseils aux contradicteurs : fréquentez-la moins, écoutez-la plus ; épiez-la moins, regardez-la mieux ! Cette femme est Le spectacle. Du calibre de Piaf et de Garland qui, entre vous et moi, n'étaient pas non plus très avenantes, et qui, en plus, se bourraient de drogues pour tenir à peu près droit sous la pression et les projecteurs. On ne verra peut-être jamais plus passer une Diane Dufresne, une secousse de cette amplitude, dans nos parages encombrés d'artistes délicieux, mais sans urgence, qui invitent les journalistes à leur mariage. C'est un fait, pas une émotion. Assise sur un volcan, toujours en ambulance, Dufresne, avec sa voix qui dévisse le cœur, chante maintenant ce qu'elle pense. Et heureusement, car l'écriture de son album *Détournement majeur* l'a réconciliée avec son métier, rapprochée d'elle-même et a dégagé le mur blanc sous les graffiti.

Depuis dix ans, elle menace de se retirer, de plus en plus allergique aux blablablas, aux simagrées de la kermesse médiatique. Elle fait de l'art, pas du commerce. Son homme de confiance et de chiffres, son producteur et ami Robert Vinet reste parfaitement calme : « J'ai dit à Diane : on va changer de stratégie pour toi. Fais ce que tu aimes, ce en quoi tu crois. C'est à nous de trouver les moyens d'en faire la promotion, d'aller chercher le bassin de population à qui ça s'adresse. Tu ne seras plus obligée d'aller faire des émissions que tu ne veux pas faire parce que tu en as assez de répondre aux mêmes questions. Tu es unique, on va trouver une façon unique de faire la mise en marché de tes œuvres. »

Unique, ça oui. Connaissez-vous des masses de chanteuses qui – accrochez-vous, la phrase est longue – possèdent un authentique et terrifiant talent, qui écrivent leurs fantasmes et les mettent en scène, qui s'ouvrent à d'autres formes d'expression (mise en scène, conception télé, rédaction de scénario, réalisation, peinture...), qui assistent autant à des défilés de haute couture qu'à des congrès scientifiques, qui voyagent d'un bout à l'autre de la planète pour apprendre, encore, toujours, qui accèdent en France au statut de star, si parcimonieusement distribué, qui soient courtisées par les plus importants auteurs compositeurs francophones qui feraient des bassesses pour cette voix d'or liquide-là, qui auraint un rire formidable qui part des orteils, dirait-on, et que Piaf elle-même n'aurait pas renié, qui reçoivent des jardins entiers de fleurs, qui chantent à l'Opéra de Paris, qui se tiennent loin de l'insignifiant et du dérisoire, qui fréquentent autant les clochards qu'Hubert Reeves, qui défient le

Plus forte que tout, c'est vrai !

talent de tous les artisans du spectacle en leur révélant parfois même leur potentiel endormi, qui veulent toujours essayer du neuf au risque de se péter la margoulette, et qui se la pètent d'ailleurs parfois, qui peuvent chanter à la fois Mahler et Gainsbourg, qui continuent de provoquer et d'«emmerder», qui aient un public comme celui qu'elle a, dont on se moque et dont on rêve, qui fassent peur à tout le monde, qui possèdent autant de chaussures qu'Ismelda Marcos et qui savent faire des crêpes Suzette ?

On l'adore, on la hait, on en a honte, on en est fier. On dirait que Diane Dufresne n'existe que pour que se cristallisent autour de sa personne les amours et les haines de la collectivité. Tant mieux si les critiques qu'elle subit sont épargnées aux autres. Elle arrange, elle dérange, c'est l'ardeur à deux vitesses.

Elle se dit inculte, sans instruction et sans vocabulaire, ce sont ses lacunes qui la font avancer justement. On lui a longtemps dit qu'elle avait une intelligence primaire, elle l'a longtemps cru. Elle s'est vantée par simple obstination de ne pas lire, puis elle a dévoré la Bible, des essais philosophiques, des ouvrages de sciences, tout ce qui est illisible pour le commun des mortels. C'est une femme en voie d'atteindre la sagesse, qui ne sait rien mais qui sait tout.

Elle possède une immense qualité : la curiosité. Des gens, des choses, des tendances, des phénomènes. Plus ceux-ci sont éloignés de son métier et plus ils la ragaillardissent. On la dit égocentrique, c'est pourtant une des seules artistes que je connaisse qui demande à son interlocuteur dans les dix premiers mots : « Comment vas-tu ? »

Elle est aussi aujourd'hui d'une franchise absolue. Pour se débarrasser d'un rendez-vous auquel elle ne veut pas ou ne veut plus aller, elle n'invoque aucune fausse raison. Elle ne va pas bien, elle dit : Je ne vais pas bien. Tu la fais suer, elle dit : Tu me fais suer. Elle exige l'excellence, rien en dessous de ça, c'est 100 % ou tu fais place nette, pas de conciliation possible. Elle met toutes ses munitions dans le travail. Sa seule racine, son instinct. « Elle ne s'est jamais trompée dans sa carrière. C'était impossible que ça se passe autrement, sinon elle l'aurait fait. »

Tête chercheuse

Dans les années 90, de nombreux quinquagénaires, certains plus décatis que d'autres, ont repris du galon, par nostalgie, par refus de vieillir ou par besoin de faire tinter la tirelire. Des groupes déformés se sont reformés, parfois avec le même répertoire qu'à leurs débuts roté poussivement, de beaux restes viennent faire quelques bruits avec leurs bouches. On est déplumé et bedonnant mais on sait saisir l'air du temps et être acoustique, cacophonique, écologique, œcuménique. Pour des Rolling Stones pointus, vifs et droits, combien de patates molles comme les Pink Floyd de retour avec leurs resucées de vieilles recettes ? Bien des modes ont sombré, bien des courants se sont éteints, sans jamais l'emporter, elle. Elle reste fidèle à ses pulsions et impulsions, à ses motivations et émotions, à ses longues plages de silence. Malgré les pressions de toutes parts – « Envoye donc, chante tes vieilles tounes, le monde va aimer ça » –, Diane Dufresne s'obstine à faire du neuf. Faire du vieux. Existe-t-il expression plus sclérosante ? Même quand elle chantait pour la centième fois *Le Parc Belmont,* elle mettait à la chanson un habit neuf, lui attribuait une intention différente, sans quoi la rabâcher aurait été invivable. Il faut savoir abandonner une chanson, même si on vous la réclame les yeux dans l'eau, avant qu'elle ne devienne une caricature de ce qu'elle a été.

Quand j'ai vu Diane Dufresne au Spectrum de Montréal en août 1994, le diable au corps, sans colifichet, je me suis dit : cette fille n'a jamais (dé)fait ce métier comme les autres. Elle aurait pu être riche, collectionner les maisons de par le monde, enfiler des ballades toute sa vie, pantoufler tranquille. Quand j'ai revu cette chanteuse, toujours sur le tranchant, infiniment rock (non pas de genre, mais d'essence), avec le grain de folie essentiel à la bascule des rêves, avec une énergie irradiante qui renvoie dans la salle la joie de vivre, chanter jusqu'au bout de sa voix comme si elle l'emmenait au terminus, je me suis senti soudain orphelin, pour celui ou celle qui ne l'avait jamais vue. Orphelin aussi par anticipation, persuadé qu'elle allait mourir ce soir-là, explosée sur scène. Elle criait « Donnez-moi de l'oxygène » et j'ai pensé que ça y était, que c'était le point de non-retour, le don total, le poing final. Mourir sur scène : fantasme ultime. Je l'entendais répondre à qui lui demandait des comptes là-haut : « J'ai bien fait mon travail. »

Elle partait des clubs, elle y revenait, en quelque sorte, avec trente ans d'expérience sur les épaules, le travail du temps sur le corps, la patine des ans sur la voix, un peu plus grave, un peu plus douloureuse, mais possédée de la même rage juvénile. Dans la salle, des jeunes qui l'avaient découverte avec son album – je dis bien **son**, sa chair, son sang, sa voix – *Détournement majeur* dansaient sur *Kamikaze* sans se douter que l'écorchée vive en face d'eux s'efforçait, depuis toujours, de ne jamais se photocopier et de rester clouée à la même discipline : ne pas rouiller. Elle dit : « Quand c'est rendu facile, c'est que tu t'es égaré. La facilité, dans la trajectoire créatrice, c'est la stagnation. » Les philosophes, les humanistes approuveraient : « Celui qui ne cherche pas à s'élever s'enfonce. »

Pourtant les critiques sont ombrageux. Entre eux et elle, le temps est vite à l'orage. Normal : c'est une artiste polémique, une femme libre, donc exaspérante, avec des idées plein la musette, les ressorts intacts, une envie permanente de se mettre en danger. Elle résiste aux sollicitations du marché, elle n'est pas dans le babil ni dans la mièvrerie émotive. Elle reste vigilante pour elle-même. Et elle ne vibre que pour ce public qui l'a toujours serrée dans ses bras.

Le spectacle au Spectrum était l'un des plus puissants, des plus ravageurs de sa carrière. On s'est pourtant contenté dans les journaux de petits papiers chiches, inoffensifs. On est vraiment des ti-culs. Qu'on soit sur-le-champ condamnés à vie à des spectacles ringards ! Aujourd'hui, on confond souvent le talent avec la stratégie promotionnelle. Rayon vente, Diane Dufresne est nulle. Pas faute d'avoir essayé, elle a donné dans la promotion autant que Céline Dion. Elle a fait des kilomètres d'interviews qui l'emmèneraient jusqu'en Chine. Mais quand ça fait la millième fois qu'on répond à la même question, la réponse et la question finissent par s'annuler. Et le temps qu'on perd n'est jamais rendu. Alors elle tonne. Celle à qui je n'accorde pas le trophée de Miss Relations Humaines se classe première en intégrité.

Elle n'a jamais *crossé* un journaliste, jamais cédé à l'amabilité intéressée. « Je suis polie, mais je ne suis pas gentille. » Elle veut être jugée sur son œuvre, pas sur la blancheur de son sourire.

La critique dénigre son talent d'auteure, mais cette même critique s'enflamme sur les textes de Marie Carmen, de Francine Raymond ou de Laurence Jalbert, pour rester chez les femmes, et chez les Québécoises. Je n'enlève rien aux nombreuses qualités de ces femmes, mais si elles écrivent mieux que Diane Dufresne, moi, je sais marcher sur la tête...

Le coup d'essai de la parolière Diane Dufresne ne s'est pas fait sans maladresses – la principale, plutôt émouvante, étant de vouloir trop en dire, syndrome d'une première œuvre. Ce sont des textes qui lui ressemblent et la rassemblent, et qui font en tout cas leur devoir de sincérité. Qu'un journaliste écrive, avec ses pieds d'ailleurs, que Diane Dufresne n'est pas un auteur le rend à jamais ridicule. *Cendrillon au coton* , pour n'en nommer qu'une seule, implacable « règlement de conte » avec elle-même, est de la même famille que *Le Parc Belmont* du grand Plamondon.

Mais la critique est un aiguillon, une incitation au dépassement. « Ils m'auront pas les tabarnaks ! » Une rockeuse officiellement agréée, n'est-ce pas louche ? Elle reste telle qu'en elle-même, une combative qui doute mais qui avance sur ses talons d'argile, quitte, chaque fois, à se casser les jambes.

Son histoire pourrait commencer maintenant. Son histoire recommence depuis toujours.

L'ENFANT REINE

Diane Dufresne agacerait les biographes avec sa mémoire pleine de trous, tellement qu'on se demande si elle ne s'arrange pas pour oublier ce qui ne fait pas trop son affaire. Comme tout le monde. Des épisodes cruels, elle ne retient que les contours. La mémoire et l'imagination sont deux sœurs. Et puis le temps qui passe fait son travail d'ornementation. Cela dit, Freud et tout le monde sont d'accord : un tempérament, une nature prend sa source dans l'enfance. Celle de Diane Dufresne, entamée dans la joie et l'innocence, s'est arrêtée net sous le poids des responsabilités et de la répression.

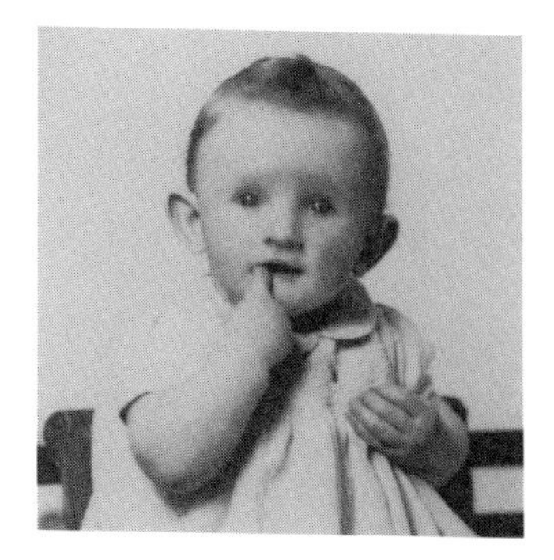

Dans l'arbre généalogique de Diane, deux branches éclairent des traits de famille et de personnalité, si l'on peut dire. Son arrière-grand-père paternel, Benjamin, a fait du si bon boulot de défrichement à Sainte-Lucie-de-Doncaster, dans les Laurentides, qu'on a donné son nom à la rivière qui y serpente. Puis une arrière-arrière-grand-mère paternelle qui est morte à 106 ans, droite comme un i. Ouvrir le chemin et s'entêter : la chanteuse est assurément une Dufresne.

Elle naît le 30 septembre 1944 – sur les plateaux de la Balance, donc – dans le quartier Hochelaga à Montréal. Dans sa rue grandit Geneviève Bujold, l'actrice avec laquelle elle partagera une manière carrée d'envisager le métier. Enfant unique – pendant huit ans – elle vit une passionnelle histoire d'amour avec sa mère, Claire. Le prénom déjà, comme un signal de lumière. Une femme belle, excentrique, provocante sûrement. Imaginez des cheveux blond platine en coq, des robes avec du vison sur l'épaule, des chapeaux en satin mauve avec une grande plume blanche et des paillettes, des souliers mambo avec des talons en coquillage. Avant tout le monde, elle affiche des tenues calquées sur celles des actrices américaines, et à Ville d'Anjou par-dessus le marché ! Voyez le tableau. Le dimanche à la messe, on chuchote sur son passage. Elle apparaît

1944
30 septembre
Naissance de Diane Dufresne, dans le quartier Hochelaga, à Montréal.

1952
22 novembre
Naissance de Carole Dufresne.

1955
20 avril
Naissance de Gaétan Dufresne.

1958
23 septembre
Mort de la mère de Diane. Elle avait 34 ans.

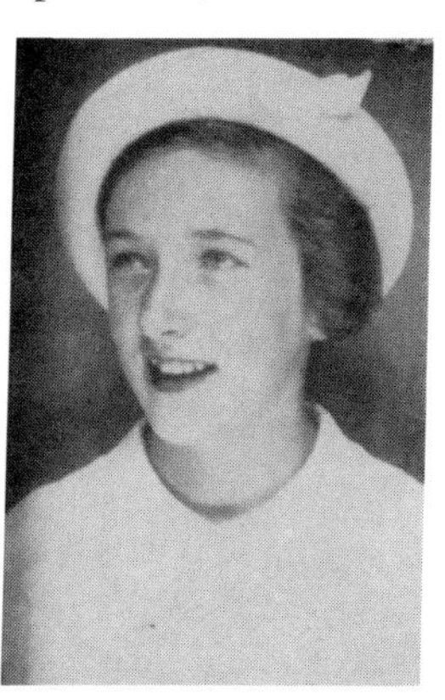

Claire Dumas dans la splendeur de ses seize ans.

et tout change. Le noir et le blanc se mettent en couleurs. Elle donne du rêve et suscite sûrement quelques jalousies. C'est une artiste aux mains magiques. D'un bout d'étoffe elle crée des œuvres d'art pour sa fille. Diane change de tenue deux fois par jour, porte des guêtres et des robes en nid d'abeille confectionnées maison, des chapeaux originaux. Elle doit en énerver plusieurs avec son petit manteau de fourrure.

Madame Dufresne va régulièrement à New York pour renouveler sa garde-robe, pour voir quelques spectacles et approcher les bonnes choses de la vie. Elle rapporte à sa petite fille des robes de reine ou de ballerine, des chansons, des pas de danse, le goût de vivre. C'est à New York qu'elle lui achète son premier tourne-disque. Sur les premiers enregistrements d'Elvis Presley, les Dufresne, mère et fille en duo d'amour, dansent le rock'n'roll.

Roger, le père, vendeur d'assurances, est d'une timidité suspecte dans les affaires. Il hésite devant les portes des maisons, se demande s'il va sonner ou fuir à toutes jambes ? Mais il finit, grâce à la détermination des timides, à s'imposer comme un excellent vendeur. À la maison, il est comme tous les pères, rugueux, entravé dans les rapports affectifs. Mais quand il ne dispute pas, quand il ne menace pas d'un sourcil froncé ou d'un coup de pantoufle, tout va. Et puis il porte une attention enveloppante à sa petite princesse, du moins lors de la séance dominicale.

Cérémonie sacrée. M. et Mme Dufresne s'assoient au salon, sérieux comme s'ils étaient au Carnegie Hall, et se concentrent

1960
Remariage de Roger Dufresne avec Thérèse Kingsley.

1962
Mort de Marilyn Monroe : « La folie, c'est essayer de faire sortir ce qu'on a de plus vrai en soi-même. »

Naissance d'Amnesty International.

Débuts des Beatles, donc de la musique pop.

Naissance des Rolling Stones en réponse aux trop «sages» Beatles.

1963
Mort de Piaf et de Jean Cocteau.

Assassinat de John F. Kennedy.

sur leur Shirley Temple. Celle-ci fait son numéro – mélange de chant et de danse, presque toujours le même –, améliore chaque fois un élément, un geste à peine perceptible, que discerne bien sûr le papa. Cette expression de la tendresse paternelle fait descendre toute la fierté du monde sur la petite blonde, déjà solitaire, repliée sur elle-même, dans le seul halo de sa mère et la magie de son monde de « cartron ».

Certains étés, chez les grands-parents Dufresne, au Lac Archambault, à Saint-Donat, il fait soleil, le lac tend les bras ; Diane reste collée contre sa mère, comme une excroissance de blondeur et de rire. Papa chante, maman aussi, comment ne pas aimer chanter ? Diane en raffole, et encore plus quand son public s'élargit. À la cabane à sucre, dans les réunions de famille, elle fait boum boum dans le cœur de la parenté avec son succès *Voulez-vous danser grand-mère ?* Elle est timide, mais elle a de l'aplomb, une jolie voix déjà, les poings sur les hanches et le sourire de sa mère dans l'œil.

Dans sa chambre – dans laquelle personne n'entre sans frapper, signe de la notion de liberté et de respect inculquée par la mère –, l'enfant forge son univers. « Avec trois cordes, j'avais trouvé le système pour faire coulisser des rideaux dans une boîte. Je faisais des mises en scène. J'habillais mes poupées de « cartron » en reines, en Elizabeth Taylor. Quand je prépare un show, je me retrouve projetée dans la chambre de mon enfance, et ça n'applaudit pas plus fort aujourd'hui que ça applaudissait dans ma tête à ce moment-là. » Ses principaux souvenirs s'articulent autour de cette chambre des délices (dans la réalité, aussi ordinaire que toutes les chambres d'enfant des années

1964
Débuts de The Who. Vous vous rappelez *Tommy* ?

1965

début février
Première partie de Guy Béart, au Safari de Saint-Jérôme. Au piano : André Gagnon

18 mars
Première apparition à la télévision à l'émission Pleins feux.

Chez Clairette et les boîtes à chansons de la province.

40), de la séance du dimanche, de la tendresse mère-fille, du regard du père et des spectacles de Manda et de Ti-Zoune que sa mère l'emmenait voir, chaque fin de semaine, au Théâtre Mercier. Pour l'occasion, Claire lui consentait une toilette de spectacle – boucles et pompons – et un soupçon de maquillage. Petite fille fardée jouant à la madame.

L'école, qui l'arrache à ses jeux et à sa mère, n'est pas à proprement parler un tube. Diane a du mal à accepter à l'école les diktats du type élémentaire, deux plus deux font quatre. Qui a décidé ça ? D'où la maîtresse tient-elle sa vérité ? « Il aurait fallu que le bon Dieu en personne descende dans la classe pour me le prouver. »

Août 65-février 67
Paris
Cours de chant et d'art dramatique. Boîtes : L'Écluse, L'Échelle de Jacob, Le Port Salut. Petits cachets, répertoire musclé.

Dans une critique parue dans Arts et Loisirs, des lignes flatteuses pour Diane Dufresne. Elle se croit partie pour la gloire.

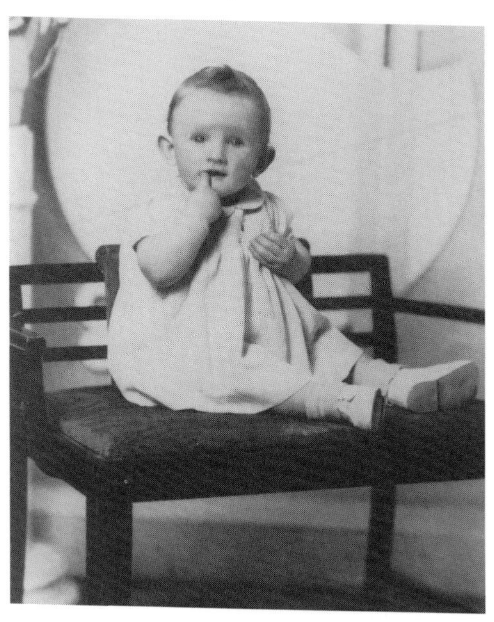

La photo « officielle » de bébé Diane.

Timide et fanfaronne, elle tape du pied, rechigne, rue dans les tibias des sœurs. Mais elle aime le dessin, la composition et les ... religieuses. « Je trouvais leur costume bien sensuel. Quand je voyais un beau visage de sœur encadré par une cornette, je m'imaginais tout ce qui pouvait grouiller sous l'habit, lourd, qui devait être épouvantablement chaud l'été. Mon imagination décollait vers les rubans, les dessous, les odeurs...»

Zélée au catéchisme qu'elle connaît par cœur, elle aurait pu devenir une mystique avec, dans la mire, le goût d'être béatifiée en sainte quelque chose. C'est une contemplative, en pâmoison devant les statues de la Vierge. Elle croit que les rayons du soleil qui entrent dans sa chambre le font exprès pour elle, qu'ils lui portent un message. Elle se sent appelée, mais le signal n'est sûrement pas assez fort puisque les religieuses ne l'entendent pas. Fin de la carrière religieuse de celle qui est fascinée par l'atmosphère feutrée des couvents et par l'odeur des fougères et des planchers encaustiqués. « Je pense encore à rentrer chez les carmélites. C'est comme si je me gardais une porte de sortie. Mais il faudrait que je puisse m'évader les fins de semaine. En fait, il faudrait que j'invente une forme nouvelle de communauté. »

Impressionnée par les rites, par les cérémonials – le show des premiers sacrements –, elle se rappelle la robe blanche, longue, portée pour sa première communion et la gifle de sa confirmation. C'est le cardinal Léger lui-même qui la lui a administrée. Y a-t-il mis plus d'entrain que d'habitude ? Toujours est-il que «Je n'ai pas du tout été d'accord. J'étais en calvaire et je l'ai démontré. »

1966
Révolution culturelle en Chine.

1967
Le retour à Montréal est moins spectaculaire qu'espéré.

Chez Clairette, La Halte des Chansonniers à Québec, le petit circuit des boîtes. Elle chante Vigneault, Léveillée, Létourneau, Barbara, Anne Sylvestre...

Expo 67 et « Vive le Québec libre » de Charles de Gaulle.

Assassinat de Che Guevara.

Première greffe cardiaque.

Les affaires de l'Église ne lui réussissant pas vraiment, elle se jette sur toutes les « séances » qui passent à l'école. Elle affectionne surtout les premiers rôles, ne se sentant pas très douée pour jouer les seconds violons. Elle écrit même une saynète, très très très religieuse. Du théâtre, du moins du semblant de théâtre, elle en fait chaque semaine, avec ses cousines, dans le hangar de la maison. Les profits du droit d'entrée, des biscuits, sont mangés à la fin de la représentation. Même si on lui jure que Jésus est un homme – coudon on l'a vu sur des images ! – elle le personnifie torse nu, avec une retaille de tapis entortillée autour de la taille. « Je m'étais coupée pour que ça saigne et que ça fasse plus vrai. » Elle aurait joué, inventé des vies et mangé les biscuits de ses efforts à longueur de journée. Les joies onctueuses de l'enfance, les baisers au miel des parents, les petites peurs du soir, les guirlandes de Noël et toutes ces odeurs –

1967
Débuts du Velvet Underground, sous la houlette d'Andy Warhol. Avec Lou Reed.

La ballerine et sa cousine : la pose, le costume, la cour, les petites joies de l'enfance.

encre, craie, nourriture, parfum de Claire – qui circulaient. Bonheur rond à peine troublé par la naissance de Carole qui lui ôte son statut d'enfant unique, mais qui lui sert de poupée vivante. Divertissement préféré dans le défilé des jours balisés par l'école. Diane transforme sa sœur en reine ou en actrice grâce aux crinolines et autres accessoires de sa mère.

C'est sans compter la claque sèche qui s'apprête à s'abattre et à désordonner les plaisirs. Elle a dix ans quand naît Gaétan, et dans le berceau du poupon il y a un cadeau pour elle : des responsabilités qui lui tombent sur les épaules et rangent l'enfance dans le placard. La santé de madame Dufresne s'étiole. Un cancer – qu'on ne nomme pas encore à l'époque – la grignote par petites bouchées.

Entre les mouches de moutarde et les ventouses (l'angoisse !) qu'elle applique à sa mère – convaincue des bienfaits de ces traitements éprouvés par des générations de grands-mères – Diane réconforte sa sœur et s'occupe de son frère. « Ce n'est que dans mes bras qu'il arrêtait de pleurer. » Et comme tout bébé, il

1968
novembre
Éric Villon, le mari de Claude Valade, devient son gérant. On annonce *La nouvelle Diane Dufresne*. On la lira souvent, celle-là.

Fondation du Parti Québécois.

Les Belles-Sœurs de Michel Tremblay.

L'Osstidshow avec Charlebois, Louise Forestier, Yvon Deschamps.

Mère et fille au soleil. Le début d'une histoire d'amour.

aime bien faire ses sérénades la nuit. Cette vigilance assumée auprès de son frère les rapproche à vie. Aujourd'hui encore, peu importe où elle se trouve dans le monde, Diane appelle Gaétan. C'est son prince, c'est son frère. Il n'y a rien de plus touchant que de les voir ensemble : ils ont dans les mêmes yeux, les mêmes reliefs d'une enfance volée.

Les résultats scolaires de la ménagère bien affairée et de la maman par procuration ont du mal à tenir debout. Elle ne peut pas tout réussir. Alors elle lâche l'école en 7e année. Claire fait des séjours de plus en plus prolongés à l'hôpital ; son silence, dans la maison, est abominable.

Un jour, sous le frêne en beauté qui pose devant la maison, papa convoque sa fille. « Ta mère en a pour deux ans. » L'intensité, la tristesse, là tout de suite, qui vous enlacent. Deux ans pile à voir s'en aller celle qu'on aime le plus au monde. Ma mère, mon amour, ma douleur. « Elle était tout pour moi. Sans elle, la vie ne pouvait pas exister. Elle m'a tout appris. Elle m'appelait son ange gardien. Quand mon père me punissait et me faisait mettre à genoux, elle s'agenouillait à côté de moi parce qu'elle ne trouvait pas ça juste. » Pendant ces deux ans fatidiques, Diane déploie une ferveur maniaque dans les tâches ménagères, pour que sa mère ne soit chiffonnée par aucun souci d'ordre domestique,

Diane en première communiante concentrée.

1968
Mai 68 (à Paris).

Débuts de Led Zeppelin. Hard rock.

1969
13 mai
Les Girls de Clémence Desrochers au Patriote à Clémence, tournée, succès.

Diane rencontre François Cousineau.

On marche sur la Lune.

Woodstock : 400 000 personnes en musique et en fleurs.

lorsqu'elle obtient des congés de l'hôpital. Elle est prête à curer le plancher avec les ongles pour qu'il soit impeccable, se lève la nuit pour bercer Gaétan, console Carole. Tout pour un sourire de Claire, qui ne lésine pas malgré la douleur. Et papa, malgré le désespoir, est gonflé d'orgueil. Sa petite fille est plus dégourdie qu'une servante. Compliment géant à cette époque où le principal atout d'une femme est la propreté, assorti, si possible, du talent de ne pas calciner le steak haché.

En portant le poids de la maisonnée, Diane pense conjurer le sort, mais le cancer a le dernier mot. Brutal. « Je n'étais plus du tout d'accord avec la Vierge que j'avais toujours priée comme une folle. Surtout que je lui avais demandé une chose qu'Elle aurait facilement pu m'accorder. Je voulais que ma mère vive jusqu'à ma fête. Elle est morte une semaine avant, le 23 septembre. Ça été fini, je n'ai plus cru en rien. »

Le jour des funérailles, engoncée dans les vêtements de sa mère que son père lui demande de revêtir, comme pour assurer la continuité, l'adolescente meurtrie, l'adulte inachevée danse le rock'n'roll toute la journée. Comme une amoureuse désarticulée. La tristesse s'empare à jamais de ses beaux yeux pers, la douleur fait sa niche dans son corps. La reine du foyer a mal au cœur de ses treize ans. L'amour, la mort, la torpeur. C'est complet.

1970

5 octobre
Mort de la belle-mère, emportée par un cancer.

Joue le rôle d'une mariée dans un court métrage de Gilles Carle : *Stéréo*.

Beaucoup de *jingles* publicitaires et des chansons thèmes de films zérotiques.

Crise d'octobre : un mort, de nombreux artistes et poètes muselés.

Mort de Jimi Hendrix à 28 ans.

Mort de Janis Joplin à 27 ans.

LA MUETTE QUI CHANTE

Elle s'étonne elle-même que la vie puisse redémarrer. On se croit fichu, démoli par les toquades du destin, on est ratatiné par le chagrin et pourtant la vie rebat, repart, parfois même pétille. L'adolescente ne manque pas de santé physique : des seins, des hanches, des fesses, des appas. « Quand je tondais le gazon, j'attirais les policiers tant j'étais décolletée. » Les saisons jouent à saute-mouton, le père rencontre une «amie» qui vient à la maison et à qui Diane, forte de sa découverte du curaçao, confectionne des gâteaux bleu marine et autres subtilités ragoûtantes.

Puis un jour, trop vite, sous le frêne des mauvaises nouvelles, Roger Dufresne annonce qu'il se remarie, qu'il faut une mère pour les enfants, qu'il est un homme, qu'il est encore jeune, bref, le refrain habituel. Diane vacille. C'est le tremblement de terre dans sa tête et sous ses pieds – comme si sa mère mourait une seconde fois. Mais les dégâts sont à venir.

Le matin où la belle-mère, Thérèse, « qui me faisait penser à Michelle Tisseyre », entre dans la maison, le lit de madame Dufresne en sort et les derniers grains de sa présence s'évaporent. Du jour au lendemain, changements de régime draconiens. Carole et Gaétan partent en pension, l'ambiance entre dans une gaine... Employons un terme poli pour définir le différend qui s'installe entre Diane et l'autre : incompatibilité. Il ne pouvait en être autrement. Personne, jamais, ne pourra remplacer sa mère. Jamais. Personne.

Belles manières, élégance crispée, français impeccable, Madame Deux tâte du violon, chante des lieder, sait en tout ce qu'il faut savoir. L'étiquette et la règle sur pattes. Diane perd titre et statut de « reine de la maison » au profit de cette femme austère qui a du mal à s'accommoder de la décontraction pratiquée avant son arrivée. Elle serre toutes les vis. Diane est ridiculisée, sermonnée, empêchée dans ses moindres initiatives. Monsieur Dufresne, un peu dépassé par les événements, croit que le temps va arranger les choses. Il les envenime. Comme Diane n'arrive pas, malgré ses tentatives d'adolescente à côté de sa peau, à se faire aimer, elle développe une haine qui se retourne contre elle. Elle ne couche jamais dos à la porte de sa chambre de crainte

1971
janvier à mars
Fait partie des Smashettes (avec Patsy Gallant et France Castel), les girls du tandem Olivier Guimond-Denis Drouin dans *Smash* (Radio-Canada).

mai
En Inde pour «méditer». Le début d'une passion : les voyages.

Mort de Jim Morrison des Doors

1972
Luc Plamondon prend place dans le décor. Le «trio infernal» se constitue.

d'être poignardée. Bien sûr, il y a l'imagination d'une jeune fille ébouillantée par le malheur, mais il y a aussi le manque de compréhension et de sensibilité d'une belle-mère confite dans la discipline doublé du silence du père, incompétent dans les affaires de femmes.

Sous le règne de la Deux, métaphoriquement baptisée «la Torche», la petite famille reconstituée reste engoncée dans ses certitudes, refermée sur des dogmes comme par exemple, un enfant ne parle pas aux adultes... et, bien sûr, une jeune fille doit se méfier des garçons. C'est l'éducation à la dure, répressive qui jette un rideau opaque sur la sexualité qui pourtant affleure, chaotique. Ce Charlie (celui de *Chanson pour Elvis* : « À tous les sam'dis soir / Avec mon chum Charlie / Qui faisait peur à voir / Mais qui s'prenait pour toé »), avec qui Diane gagne des concours de danse, n'a-t-il pas laissé monter ses mauvaises pensées le jour où il l'a entraînée hors de la piste ? Quel genre de pas ont-ils répété ? « Mon père et elle m'ont demandé, très graves, si Charlie m'avait touché les seins. Dieu sait qu'il ne m'avait pas touché que les seins ! » Diane frémit de franchise et Charlie est interdit de visite. C'est ainsi qu'on règle les affaires chez les Dufresne nouvelle manière. La belle-mère voit-elle en Diane la jeunesse sifflante de la femme que son mari a profondément aimée ?

Déjà peu sociable, Diane s'emmure alors vivante dans sa chambre, dans un mutisme presque total. Encore aujourd'hui elle a l'impression qu'elle y est restée un an. Soudée, sonnée, zombie. À ne rien faire et défaire d'autre que son lit, à regarder pendant des heures le frêne «maudit», à y voir

1972
juillet
J'ai rencontré l'homme de ma vie : succès de l'été. Tout le monde réclame la chanson, veut lui voir la bette. Certaines stations hésitent à faire tourner la chanson osée, crue, mais cèdent sous la pression des demandes des auditeurs.

octobre
Lancement sur un quai de la gare centrale du disque *Tiens-toé ben j'arrive !*

pousser entre ses branches, à force de concentration, son avenir. La force de l'arbre, la sève, l'énergie, la vie. Vous savez, cette fièvre de l'« âge ingrat » qui nous tient la bouche ouverte, mais comme incapable d'attraper quoi que ce soit.

La belle-mère a de saines ambitions pour l'adolescente fracturée : infirmière. Diane ne crépite pas de joie, mais elle cède pour éviter les frictions. Elle s'inscrit à des cours tout en s'acquittant d'un emploi d'aide garde-malade. À l'hôpital Santa-Cabrini, la souffrance prend tout son temps. Diane côtoie la mort, elle qui en a une peur violette. Mais les patients, le personnel l'aiment. Toute cette rigueur, déjà, toute cette compassion tombées sur une si jeune personne. Et aussi, surplombant le chant des bassines et les odeurs à défaillir, la soif de conquérir une existence.

Depuis le silence définitif de sa bien-aimée, elle n'a pas chanté. L'envie de s'y remettre monte de son cœur comme une caresse de sa mère. Elle veut suivre des cours de chant. Négociations avec Roger Dufresne et sa femme. « Mon père m'a fait part des conditions imposées par ma belle-mère pour que je puisse suivre les cours. Il fallait que je l'appelle Maman, et non plus Mère, ce qui pour moi établissait une distance vivable. Eh bien, je me suis méprisée, mais j'ai consenti à l'appeler maman... »

Simone Quesnel, professeure attentive, lui sauve la vie, en quelque sorte. Elle décèle rapidement le talent sous la boule de rage rentrée, lui révèle ses possibilités vocales. Ces cours sont une pause dentelle dans l'horaire chargé de la travailleuse qui se lève à 5 h 30, va à l'hôpital de 7 h 30 à 16 h, rentre à la maison, puis suit un intermi-

1972
4-10 décembre
Tiens-toé ben j'arrive ! au Patriote (Richard Huet assure la première partie). Bonnes critiques, mais les réfractaires au personnage se manifestent déjà.

1973
20 janvier
3 artisses, 3 piasses, Centre sportif de l'Université de Montréal. Dubois, Offenbach, Dufresne. Enfin, une femme chez les «délinquants».

nable trajet en autobus, de Ville d'Anjou jusqu'à l'école scientifique Lafond de la rue Cherrier, pour des cours qui ne l'excitent pas plus que ça. Une sensation de désordre prolifère en elle, des turbulences surgissent dans son univers plombé. « Il me semble qu'à l'époque je pleurais pendant tout le trajet. »

Quand il fut question de cours de chant, la belle-mère désigna l'opéra, art noble s'il en est. Diane préfèrait la chanson populaire, s'entête. Qu'à cela ne tienne, Madame Deux la prie d'aller répéter ces « choses vulgaires » dans un « cocron, devant des boîtes de conserves et l'établi sur lequel je cirais les chaussures de mon père ». Dans ce réduit, elle réalise ses rêves. Elle se place sur une planche déglinguée, ferme les yeux, se retrouve sur scène. Maman Claire est dans la salle. Salves d'applaudissements dans sa tête. Frisson dans l'échine.

Autre espèce de frisson : les cours du soir. Attifée des vêtements de la belle-mère, bien coupés mais anciens, peu avantagée par une peau «monstrueuse», cadeau d'un eczéma tenace, muette ou du moins handicapée du langage (les neurologues parleraient de déficit), l'élève Diane Dufresne n'en mène pas large ; son charisme n'attire pas les foules. « Comme je ne parlais pas à la maison, je n'arrivais pas à dire une phrase complète. La conversation ne volait pas haut, je parlais par bribes. Encore maintenant, mes idées partent dans tous les sens et ce que je veux dire éclate en morceaux. »

Dans le fond d'une classe, un soir de septembre 1963, un mois avant la mort de Piaf et de Cocteau, deux mois avant l'assassinat de John Kennedy, une rencontre se prépare qui va remuer les pièces de l'échiquier.

1973
16 février
Elle chante *J'ai rencontré l'homme de ma vie* et *Rill* (sic) *pour rire* au Gala du plus bel homme du Canada, en l'occurrence Léo Ilial (eh oui !).

« CHRIST DE BELLE VOIX ! »

Portrait de groupe avec ambitions gonflables, brouhaha d'une classe, fureur de vivre de jeunes adultes. Ginette Nantel est intriguée par l'être renfrogné, assis devant elle. Par l'odeur d'abord, celle du Lubriderm (une lotion calmant les démangeaisons que cause l'eczéma) dont la jeune fille se tartine les mains avec application et en abondance. Par le reste du portrait ensuite : ces cheveux en bataille, cette veste dépassée qu'elle actualise en la boutonnant dans le dos, cette solitude pelotonnée... Diane, à la dérobée, regarde la beatnik du cru, délurée et moderne, avec le vrai col roulé noir de circonstance et la dégaine qui va avec, quand ce n'est pas la cigarette.

Ginette travaille à la CAPAC, la société de perception des redevances des auteurs et compositeurs, et étudie pour devenir journaliste. « Diane aurait pu devenir une grande n'importe quoi : chirurgien, journaliste. Mais elle a été émiettée par la mort de sa mère, achevée par la belle-mère » dit Ginette Nantel trente-cinq ans plus tard.

Retour en classe pour constater que Diane part de loin. Attrapons un bout de cours d'anglais, qui va comme suit. Le professeur interroge la sauvageonne : *What's your name ?* Diane fait péter son accent : Diane Dufresne. *Where do you live ?* Elle, sans hésiter, comme contente de connaître la réponse : 7800, boul. Yves-Prévost, Ville d'Anjou. La classe pouffe, le prof sourit sûrement, Ginette regarde. L'amitié n'a besoin que d'un regard pour se mettre en route. Diane était convaincue qu'elle parlait anglais, comme elle était convaincue, enfant, qu'elle chantait en anglais. Il suffit d'y croire, non ? « C'était la meilleure en composition française, on faisait circuler ses textes de classe en classe. » Un crack aussi en algèbre, en physique, en tout ce qu'on n'imagine pas.

Grâce à l'amitié de Ginette, les angles pointus s'adoucissent. Elle prend vite du pic, retrouve son cran. Quand Ginette fait la connaissance de cette petite chose en lambeaux, elle se sent investie d'une mission : sortir Diane des gouffres dans lesquels elle s'enfonce. Grâce à la complicité des parents Nantel, Diane, avec la permission mitigée de son père, se retrouve dans une maison où sa famille d'emprunt est... une véritable famille. La confiance, lentement, ramène son museau.

1973

1er-2 mars
En spectacle au Théâtre Maisonneuve. Elle chante les succès de *Tiens-toé ben* et crée quelques chansons de son prochain microsillon, *Opéra-Cirque*. En première partie : Marie-Claire et Richard Séguin.

mars et avril
Promotion en France de *J'ai rencontré l'homme de ma vie*. On lui demande : « Vous pourriez pas la chanter maintenant, sans votre accent. »

En 1964, la mini-jupe effeuille les jambes, les codes changent, les femmes sortent le nez du fourneau. Diane se réapproprie la garde-robe de sa mère, brandit sa différence. « Elle avait déjà une forte personnalité. Quand on montait dans l'autobus, il y avait bien des yeux écarquillés sur elle. Elle a toujours eu beaucoup de goût. Très rapidement elle a pris conscience de ce qu'elle valait et de l'effet qu'elle causait. » En fait, déjà, le personnage, avec ces audaces vestimentaires, s'ébauche. Touchée par les heures que Diane gaspille dans l'autobus, Ginette achète une voiture pour la véhiculer et lui montrer les attraits de la ville. Diane découvre, en même temps que la montagne au cœur de Montréal, le temps qui lui a été volé. Les deux filles ont à peu près 20 ans, l'avenir flou mais un désir dodu de décoller.

Mais où commence la chanson là-dedans ? L'histoire retiendra l'anecdote. Diane et Ginette se baladent en voiture. Diane se met à chanter « je ne sais plus quoi ». C'est l'uppercut au plexus. Ginette freine, la regarde comme si c'était une apparition : « Tabarnak que c'est ça ? » Bonbon de fierté pour Diane.

Ginette décide sur-le-champ de suspendre ses études de journalisme. Il y a urgence, ici. Son job est trouvé : elle va la faire chanter. Comment ? En fonçant, pardi ! Comme si elle était Johnny Stark, qui a découvert la chanteuse du millénaire, et en adoptant le ton le plus décontracté possible, elle téléphone à André Gagnon, qui n'est déjà plus n'importe qui. « Voudrais-tu accompagner ma chanteuse ? » Magnanime, Gagnon veut bien l'entendre. Les deux filles s'amènent, Diane à reculons, faisant à elle seule dans

1973

20 septembre
Lancement au Planétarium Dow de *À part de d'ça j'me sens ben* / *Opéra-Cirque*. Part le lendemain pour Paris.

2 au 21 octobre
En vedette américaine de Julien Clerc à l'Olympia pour trois semaines. Public partagé, critiques généralement coupantes. Mais on parle d'elle...

1974

10 au 13 janvier
Salle Wilfrid-Pelletier : spectacle contenant, en deuxième partie, tout l'*Opéra-Cirque*. Éprouvant pour le public, épuisant pour la chanteuse.

l'escalier un festival d'humeurs. Elle se braque, avance, recule, avance... Le trac, déjà, tressé avec l'orgueil. Elle finit par finir de monter les marches. Gagnon s'installe au piano, Diane pousse une chanson de Colette Renard. « Christ de belle voix ! » lâche, laconique, le pianiste qui consent à l'accompagner pour un spectacle à Saint-Jérôme, en première partie de Guy Béart. Dans la salle, un ami de Gagnon, un inconditionnel de Béart, Luc Plamondon, qui a, dans ses bagages, des études en lettres à l'Université de Montréal, dans la caboche, l'idée de voyager et d'apprendre des langues et, dans les poches, quelques poèmes. « On ne pouvait donner que 25 $ de cachet à Dédé ; il l'a pris pour nous inviter à manger après le spectacle. » Diane, immobile ou presque dans sa petite robe noire, chante Ferré et Brel avec une intensité peu commune, mais on ne peut pas dire qu'elle casse les oreilles du monde en parlant. Timide à en être apeurée.

La semaine suivante, « en vacances dans les Laurentides », les amies vont entendre Danielle Oddera, interprète de Brel et de Jacques Blanchet, mais surtout, pour le sujet qui nous intéresse, sœur de Clairette, la patronne de l'incontournable boîte à chansons du temps, point de ralliement de tous les canons de la chanson française. Ginette, en agente improvisée mais bien intentionnée, se demande comment approcher Danielle et lui soutirer pour Diane le sésame qui ouvrirait le cœur et la boîte de Clairette. Le destin doit l'entendre. André Gagnon, qui accompagne sur scène Oddera et doit la ramener à Montréal, souhaite rester dans le Nord pour affaires amicales. Ginette s'élance, offre à Danielle le trajet vers

1974
Été
La Californie. Le soleil, la musique, la paix.

24 août
Enterrement de l'*Opéra-Cirque* devant 2 000 personnes à la Place des Nations. Une grève des transports en commun a dissuadé bien des gens de se rendre sur le site de Terre des Hommes.

Montréal – au grand étonnement de Diane qui se demande bien pourquoi retourner à Montréal quand on a un chalet à Sainte-Agathe !

Trois filles sur une banquette, une Ginette brune, une Danielle blonde, une Diane rousse. En route, Ginette, verbomotrice, finit par placer sa chanson : « La fille qui ne dit pas un mot, là, et qui a l'air bête à côté de vous, c'est une chanteuse. Pourrait-elle passer une audition chez Clairette ? » Bien sûr. Clairette l'engage. Diane y chantera plusieurs fois. C'est lors de l'une de ces représentations que J. B., réalisateur vedette de la série *Moi et l'autre*, s'enfièvre pour la belle indomptée. L'homme demande à Ginette s'il ne serait pas possible qu'il prenne un verre avec la chanteuse. Celle-ci fait répondre qu'elle n'a pas soif. Ginette insiste, pense business, un 7-Up pour une émission de télé, c'est pas cher payer. Mais Diane a la riposte ferme. Si on veut l'engager pour une émission de télé, pas besoin de boire un 7-Up pour le lui proposer. Premier trait d'une ligne qui va filer droit, éveil d'une intégrité professionnelle et premier souffle de cette impatience maîtresse qui fera que certains ne pourront la supporter qu'à doses homéopathiques. Elle fait tout de même sa première apparition à la télévision, le 18 mars 1965, à l'émission *Pleins feux* qu'anime Monique Leyrac. Elle chante *Les Prénoms de Paris* de Brel, et ce n'est pas grave si vous ne vous en souvenez pas.

Au milieu des années 60, quand on a fait Chez Clairette, Chez Clairette et Chez Clairette, qu'on a écumé les boîtes à chansons de la province et fait un peu de télé, que reste-t-il ? Paris. On a la tête raide de la

1974
30 novembre
Avec Gilles Valiquette et Beau Dommage (c'est un des premiers spectacles du groupe) au Centre sportif de l'Université de Montréal. Elle chante *Mon petit boogie-woogie* et *Le Mariage de la charmeuse de serpents* avec un véritable boa. La critique trouve que le personnage s'use. Vraiment ?

Importante tournée au Québec.

Fatigue généralisée. Elle part se reposer à Acapulco.

jeunesse, on se dit qu'on n'a rien à perdre, que la France c'est le pays des ancêtres, qu'on va donc s'y sentir chez soi et qu'on pourra y entendre Juliette Gréco, l'idole absolue. Diane quitte donc Ville d'Anjou pour Paris. Monsieur Dufresne n'approuve pas, sa fille est encore mineure (vrai : elle n'a pas 21 ans, l'âge de la majorité, à l'époque) et elle ne quitte pas le foyer pour prendre mari mais pour prendre pays. Tous les sermons et tous les index pointés de la terre n'y changeront rien, elle est dé-ci-dée. Quelques jours avant le départ, on propose à Diane de coanimer avec Guy Boucher *Le Club des jnobs*, émission jeunesse qui aura un certain succès (Geneviève Bujold coanimera). Au téléphone, faisant comme si son agenda était bourré jusqu'en l'an 2000, Diane bafouille, troublée : « C'est implo-blable, je pars pour Paris. »

Le jour du « grand départ », devant le taxi qui attend Diane et Ginette en train de distribuer les baisers d'usage, Madame Deux, à peine mélodramatique, chante de sa voix haut perchée *Ce n'est qu'un au revoir mes frères*. L'image s'incruste : deux enfants tristes, Gaétan et Carole, contre une colonne de son. Comment n'avoir pas été plus perturbée ? « Moi, j'étais assez vieille pour me défendre. » Mais certaines galeries se sont creusées dans sa tête. Ces années ont non seulement sapé sa confiance, elles ont retardé son évolution et saboté ses rapports avec les gens.

Ni martyre, ni héroïne, Diane, pour définir ces premiers vingt ans, dit : « Il y avait eu des années heureuses, puis ce fut autre chose. »

1974
L'entrée en force de Beau Dommage.

1975
18 juin
Lancement à l'aéroport de Dorval de *Sur la même longueur d'ondes*. Reste une heure, puis s'envole pour la Californie.

Été
À Malibu. Avec Plamondon, avec Cousineau, souvent seule.

LE PARI DE PARIS

Deux jeunes femmes atterrissent à Paris à l'été de 1965. « J'ai été très déçue à mon arrivée. Je ne m'attendais pas à ne voir que du vieux. Je pensais toujours qu'on était dans une ruelle. » Dans le Paris de l'époque, le Québec était une autre planète, une vue de l'esprit. On ne retenait du Canada que des images ramassées à la pelle dans des livres d'histoire miteux : la mythologie au rabais du terroir, les trappeurs, les Indiens à pagnes, la neige jusque sur le toit des maisons, Maria Chapdelaine avant la version *glamour* de Carole Laure... Avec leur accent d'ovni, Diane et Ginette n'entretiennent pas de conversations très élaborées avec les indigènes ; mais elles s'obstinent, ne chancellent pas d'une mèche quand les Français leur font des yeux de poisson parce qu'ils ne comprennent pas ce qu'elles demandent. À Paris, Félix Leclerc est déjà une vedette, Vigneault vient de temps à autre chanter ses poudreries, Monique Leyrac et Pauline Julien ont un public confidentiel, mais fidèle.

Ginette et Diane s'installent quai Voltaire dans un plus que modeste logis. Pistonnée par la CAPAC, Ginette a obtenu un poste à son équivalent français, la SACEM, société de perception des droits d'auteur et de compositeur. Elle ne gagne pas des liasses mais la paie assure le toit.

Simone Quesnel avait prié Jacques Normand – « Je ne pensais pas qu'on pouvait prononcer ce nom-là juste pour moi. C'était notre Gainsbourg » – d'écrire une lettre à son ami Charles Aznavour, pour lui demander de jouer de son influence afin d'aider Diane à suivre quelques cours, si possible avec les meilleurs professeurs. Bien inspiré, Aznavour recommande «la petite Canadienne» à Jean Lumière chez qui n'entre pas qui veut. Lumière, ex-chanteur de charme très populaire reconverti dans l'enseignement avant de voir son personnage de séducteur sombrer dans la parodie, renifle le magnétisme de la petite bête curieuse. « L'enseignement de Lumière était basé sur la respiration, sur le yoga. Il m'a montré à chanter courbée, couchée par terre. Il m'a donné une technique vocale tandis que Simone Quesnel m'a appris à traiter une chanson avec émotion, avec mon caractère et ma personnalité. » Tant qu'à être en apprentissage, elle suit également des cours d'art dramatique prodigués par Françoise Rosay, actrice aussi douée

1975
4-12 novembre
Théâtre Maisonneuve : *Mon premier show* qui marque ses débuts «officiels» de conceptrice. Le show d'une femme de 30 ans. Rock, douceur, humour et sensualité. Elle commence le spectacle assise dans un fauteuil de la 4e rangée. Très bonnes critiques. Elle chante *On fait tous du show-business*.

pour la comédie que pour le drame, et qui savait mener vie et métier sous la baguette de l'intelligence et de la fermeté. Diane apprend *Andromaque*. On lui confie des rôles de soubrette. Ce n'est pas la joie. « Chose étrange, quand je jouais, je donnais ma réplique, puis je me tournais vers le public, comme en attente de la réaction. » Rosay réagit : « Mais on n'est pas au café-concert, ma petite. » Le commentaire ne confirme pas son talent de comédienne, mais Diane sait qu'elle a quelque chose à faire sur une scène. Elle ne s'entartre pas chez Rosay, surtout qu'elle a surpris certains élèves à rire de son accent et que le chien de la Françoise aime un peu trop lui mordiller les talons.

La vie à Paris n'en est pas une de touriste en goguette. La table est souvent vide. Luc Plamondon et André Gagnon, quand ils sont de passage, allongent les francs qui manquent. Entre Diane et Luc, l'amitié se tricote. Avec lui, dans les cafés, elle se livre aux délices de la provocation. Toute seule, c'est gênant ; à deux, c'est palpitant. On parle fort, on gueule, « on est Québécois ou ben don on l'est pas », on est plus dégourdi que les Parisiens, ça oui ! Le Québec se démaillote à peine des chaînes de la religion mais il a bondi du moyen âge au futurisme. Un soir, dans un café de la place de la Contrescarpe, un pseudo chanteur québécois divertit mollement la clientèle. Diane, enhardie par la présence de Luc, lui lance : « Tu penses quand même pas que tu fais de la chanson québécoise, toé là ? » Et te lui rince les oreilles avec un *Jean du Sud* , dont Vigneault lui-même ne serait pas revenu. Un autre soir, dans une boîte de la Butte Montmartre où Plamondon l'attend comme un seul homme, elle apparaît, après le

1975
décembre
La télé diffuse un long métrage réalisé autour des chansons de l'album *Sur la même longueur d'ondes*. Toutes filmées dans un décor différent. Comme des vidéoclips.

Succès de *Chanson pour Elvis* en France.

23 décembre-1er janvier
Au Théâtre national de Chaillot : *Le Kébec à Paris*, avec Ti-Jean Carignan, André Gagnon et Louise Forestier. La presse a de très bons mots pour elle.

Fin de la guerre du Viêt-nam.

numéro de strip-tease, avec quelques chansons québécoises. La patronne, qui l'a présentée comme « une jolie poulette bien fraîche du Canada », et le public se demandent s'il n'a pas rêvé ce qu'il vient d'entendre. « Faudra changer de répertoire, ma mignonne. » Diane change de boîte.

C'est bientôt l'hiver. Il pleut, Ginette et Diane grelottent sous l'auvent de l'Écluse, « la boîte qu'il faut faire absolument ». Verte de trac, Diane n'ose pas rentrer. Elles lambinent... languissent une heure, puis s'en vont bredouilles. Chaque soir, pendant trois mois ou plus, même scénario. Diane bougonne dans sa robe en lainage – son eczéma devait apprécier – et Ginette implore le ciel morne pour que sa «protégée» se décide à rentrer, mosus, pour au moins se réchauffer ! Comme une grosse main ne viendra pas la cueillir sur le trottoir et comme Ginette, malgré sa bonne volonté, ne se fera pas greffer une voix comme celle qu'il est question de faire entendre, Diane finit par rassembler son courage et par pénétrer dans la boîte magique. (Heureusement, sinon on ne serait pas là, vous et moi).

Sur la scène minuscule qu'occupait il n'y a pas si longtemps Barbara, passée depuis dans les ligues majeures, Diane Dufresne prend toute la place. Robe et gestes sobres, elle chante et le cœur des spectateurs gondole. Les chanteuses Monique Leyrac et Pauline Julien viennent épier celle qui au Québec va les pousser dans le dos ; les Barbara et Colette Renard viennent satisfaire leur curiosité excitée par les commentaires qui circulent dans le petit réseau des boîtes. « J'avais de la voix. Je réveillais le monde. Des fois, je faisais trois places différentes par soir : L'Écluse, L'Échelle de

1976
23-24 janvier
En supplémentaires à la salle Wilfrid-Pelletier : *Mon premier show.*

Tournée québécoise.

Tournée de promotion à Paris pour le disque *Sur la même longueur d'ondes.*

Jacob, Le Port Salut. À 10 francs par spectacle. » Faites le compte et soustrayez les repas.

En 1966, la frange de Mireille Mathieu fait ses débuts, le film de Claude Lelouch *Un homme et une femme* dabada bada est primé à Cannes, le premier *love in* se tient à San Francisco, Timothy Leary, l'apôtre du LSD, fait un séjour en prison et, à Montréal, Robert Charlebois lance son premier disque. On ne parle que de l'Exposition universelle qui s'en vient avec ses gros sabots pleins de merveilles. Le monde bouge, a des fourmis dans le ventre.

Dans la vie de la chanteuse Diane Dufresne, qui gagne 30 francs par soir, déboule le plus grand impresario français du temps, J. C., qui a dans sa manche tous les noms de la chanson qui comptent. C'est un prospecteur ; il a découvert et soutenu des diamants purs : Piaf, Brel, Brassens, Gainsbourg, Trenet. Notre Félix figure aussi à son tableau de chasse. J. C. tombe sous le choc et sous le charme quand il entend (et surtout voit) Diane. « Je suis une rien du tout, je ne pense même pas que j'existe et cet homme gigantesque débarque dans ma vie. » Et pas tout seul, flanqué d'un contrat béton. Un disque par an pendant cinq ans et une rentrée à Bobino. Mais Monsieur C. n'offre pas comme ça, gratis, la consécration. Diane devra avoir quelques compréhensions épidermiques. Soyons bref et cru, Monsieur est saisi par le démon de midi. Il poursuit Diane de ses assiduités au détriment du minimum de respect humain. Certains l'ont vu lui courir après, à travers les tables, pour lui coller des câlins. Félix Leclerc, touché par la timide mais déterminée Diane, fait appel à la fibre catholique du loup : « Jacques, Dieu

1976
8 juillet
Dernière, à la Place des Nations, de *Mon premier show*, dans un costume de Pierrot. 15 000 personnes. « Diane Dufresne, reine de notre music-hall. » Muriel Millard, détentrice du titre, est plus une meneuse de revue qu'une chanteuse, plus une spécialiste de la descente d'escalier en robe à tournure qu'une fabricante de rêves.

Jeux olympiques de Montréal.

René Lévesque est premier ministre du Québec.

vous regarde. » Le loup persiste, fonce à Montréal pour convaincre monsieur Dufresne d'intercéder en sa faveur auprès de sa fille qu'il destine au rayonnement mondial, et de la soustraire aux mauvaises vibrations et influences de Ginette... N'importe quoi. Diane a 20 ans, C. en a presque le triple. Mais il est vert, ça oui, et possède un pouvoir long de même. Diane lui adresse un Non sans revenez-y, C. lui fait des misères, elle frise la dépression et finit par se mettre la main sur un rond de poêle. Alerte rouge... Ginette Nantel écrit au père de Diane de la rapatrier. Elle n'est pas dans sa meilleure forme.

1977
janvier
Parution d'un ouvrage consacré à Diane Dufresne sous la direction de Christine L'Heureux (Éditions de l'Aurore). Paroles de chansons, extraits de critiques et d'entrevues, témoignages.

Premier Prix de la Jeune Chanson décerné par le premier ministre français.

DE FILLE DE CLUB À...
FILLE DE CLUB !

Une fanfare, engagée par son père fier comme un paon, l'accueille à son arrivée à Ville d'Anjou, où elle fait une entrée triomphale. C'est que le Québec a eu grand vent d'une critique parue dans le magazine *Arts et Loisirs*, une petite chose passée presque inaperçue à Paris, mais qui a provoqué des étincelles chez nous. Pensez donc : un Français découvre une Québécoise. La rumeur enfle, suscite passion, admiration, soupçon. Le journaliste arrose quelques-uns de nos chanteurs

passés par Paris avant de faire jaillir sa gerbe de compliments : « Blonde, blanche et noire, Diane Dufresne a la voix juste et mesurée, le geste sobre mais précis, le nez narquois, l'œil intelligent. Elle donne à la chanson sa gaieté forestière et sa fatalité raciale. Diane Dufresne finira par me faire aimer le style canadien. » (Jean Monteaux, 11 octobre 1966) Imaginez la hâte qu'on a de les apercevoir, ce nez narquois et cet œil intelligent. Elle est l'invitée – scrutée, analysée, dépecée – de quelques émissions de télévision, mais il y a un nœud. Cette fille chante dans un français normatif un répertoire français (elle a rapporté dans ses bagages une nouveauté : *Gottingen* de Barbara et des chansons d'Anne Sylvestre) et elle cause dans une parlure on ne peut plus québécoise. Comment l'étiqueter ? Facile ! On dira qu'elle est trop québécoise en France, trop française au Québec, ce qui règle le cas, vite fait. (Malgré son succès en France, elle ne cédera jamais un pouce là-dessus ; quand elle parle, c'est québécois, à prendre ou à laisser).

L'effervescence autour de Diane s'estompe assez rapidement, car en 1967, Montréal n'attend pas Diane Dufresne malgré le bon coup de pouce de *Péris*, Montréal s'agite à l'Exposition universelle, Montréal découvre, savoure les richesses du globe et mesure le degré de son ignorance. Alors Diane se retrouve à la case Départ, un peu débobinée, dans une sorte de marasme personnel. Elle refait trois semaines d'affilée Chez Clairette, élargit son répertoire, l'augmente de titres québécois, apostrophe ceux qui se croient à la taverne. Le bouche à oreille fait du bon travail. De plus en plus de gens viennent l'entendre chanter et, si ça adonne, la voir,

1977
29 mars au 17 avril
À *la* Maisonneuve : *Sans entracte*. Un spectacle à tendance féministe.
Elle vit dans le garage souterrain de la Place des Arts, dans une roulotte. Dur, dur. En même temps que le spectacle est lancé le disque *Maman si tu m'voyais... tu s'rais fière de ta fille*.
Tournée en France pour l'album.

Juin
Elle célèbre la Saint-Jean deux soirs de suite au Stade olympique. Avec une distribution arc-en-ciel : de M. Pointu à René Simard et à Colette Boky.
Elle rencontre Bobby Jasmin.

en prime, donner des coups de pied dans le vide, renverser des chaises, exprimer son mal-être. Ginette Nantel endort sa carrière d'agent mais reste dans le décor. Une amie, c'est pas de trop. Diane cherche, tâtonne, enrage de ne pas trouver. Il y a un crabe sur son cœur.

Parce qu'il faut bien finir par accrocher son wagon à une locomotive, et aussi pour faire plaisir à son père qui fait confiance au bonhomme, Diane s'associe avec Éric Villon, gérant et mari de Claude Valade, la vedette des boîtes de nuit avec Renée Martel, Ginette Reno, Michèle Richard. Villon « fabrique » la nouvelle Diane Dufresne. « J'ai même pas été assez bonne pour me rendre jusqu'au gros club de la rue Sainte-Catherine, le Casa Loma. » Ce n'est pas qu'elle n'essaie pas. Elle enfile le même type de robe que Claude Valade, moulant juste ce qu'il faut mouler, chante et fait vendre de la *boésson*. Comme toute bonne fille de club. Dans la salle, souvent, des grosses têtes à qui elle tient tête, justement, entre une chanson de Bécaud et une autre de Michel Legrand. Et ils aiment ça les gaillards ! Elle hurle, monte sur les tables, puis, sans heurt, chante avec émotion *Les Parapluies de Cherbourg* ! Drôle de répertoire alors que la tendance est plutôt aux traductions vite torchées des succès américains. Elle fait la tournée des clubs de la province, se contente des musiciens d'office. Hôtels ternes, chambres glauques qu'elle partage avec la danseuse-maison. Le métier s'insinue en elle, une certaine lassitude aussi et une envie de faire le contraire de ce qu'on lui demande, de faire sauter la baraque. Un soir, troquant la robe, qui sait si bien mettre en valeur ses «forces», contre le pantalon,

1977

Août
La Fête des Voisins, à Laval. Quand elle chante, le public réclame Harmonium, au sommet de sa gloire, ou Ginette Reno, avec ses chansons bien inoffensives.

10 octobre
Café Campus
Tunique en cuir noir, très rock, débridée. Cousineau et elle se sont laissés.

31 octobre-12 novembre
Élysée-Montmartre : une salle pas vraiment établie près de Pigalle. Même spectacle qu'au Café Campus. « Une géante à Paris ».

pailletée des pieds à la tête, elle lâche son fou, tripes à l'air. Le gérant rapplique : « T'es comme Charlebois. » Elle en a assez d'être une sous-Claude Valade, même une sous-Charlebois, de se dandiner à *Jeunesse d'aujourd'hui* en mimant une chanson italienne traduite en français. Elle se sent étriquée dans ses pores. Il faut que quelque chose se passe... Que sa vie s'ajuste un peu au monde qui brasse de partout. Ça grouille en 1968, et pas seulement à Paris où la révolte des étudiants s'est transformée en crise sociale et politique. À Montréal, le scandale des *Belles-Sœurs* joualisantes de Tremblay, le K.-O. jubilatoire de l'*Osstidshow*, la fondation du Parti Québécois pavoisent des espoirs de changement. Tout ça lui rentre dans le ventre comme autant de sensations fouets.

Clémence Desrochers, qui écrit des petites fusées cyniques et tordantes et des chansons si simples qu'elles prennent à la gorge, débarque dans un club un de ces quatre. Des amis lui ont dit : Va voir Diane Dufresne, c'est une fille étonnante. Étonnante, c'est le mot. Une voix, un corps, de la gueule : on ne fait pas mieux dans le genre. Clémence cherche une chanteuse de club pour jouer ... une fille de club dans *Les Girls*, une revue musicale pas piquée des hannetons. Le délicat Éric Villon menace : « Si tu t'en vas avec cette folle, ne compte plus sur moi. » Exit Éric Villon, bonjour les filles ! Allô François Cousineau, déjà éclairé d'un petit rayon de succès. Après avoir accompagné Pauline Julien, le voici chef d'orchestre à la radio de Radio-Canada pour l'émission dépeignante *Place aux femmes* animée par Lise Payette. Le compositeur trouve une ressemblance physique entre Diane et Valérie Lagrange,

1977
Mort d'Elvis Presley à 42 ans.

Débuts du mouvement punk.

1978
16, 17, 18 février Théâtre Outremont, en « femme léopard ». Un faux mouvement, elle tombe sur le cul, reste assise et continue de chanter comme si de rien n'était. C'était prévu, pense le public.

mi-actrice, mi-chanteuse, au charme fauve et aux cuissardes extravagantes, sur qui il est un peu accroché, surtout depuis que la Française explore les rythmes sud-américains qui aguichent ses doigts musiciens.

Les Girls, ce sont cinq filles. Deux joyeuses luronnes, Clémence Desrochers, aux trous de mémoire patentés et charmants (du moins à l'époque), et Paule Bayard, comédienne bouleversante qui, pour gagner sa vie, prête sa voix à la marionnette Bobinette ; deux beaux pétards, la comédienne Louise Latraverse, à qui on imagine deux ou trois amants et autant de soupirants et l'actrice Chantal Renaud, anodine à la voix minuscule mais déjà hissée au palmarès ; et Diane Dufresne, la *outsider* , intimidée, renfermée et pleurnicharde. À la musique,

1978
13 au 19 mars
À l'Olympia en vedette. Elle dit au *Journal de Montréal* : « On prend de l'âge quand on passe à l'Olympia ; on mûrit. Ça a du poids, les murs parlent. C'est un grand souvenir de carrière, comme quand tu fais vraiment l'amour pour la première fois. »

En 1968, dans les clubs : la blonde aux gestes sobres et à la robe de lainage est parfois moins sage qu'elle en a l'air...

Cousineau. À la régie, Ginette Nantel. Petite famille qui penche de rire.

Quand Cousineau entend Diane chanter, il désembue ses lunettes. C'est la voix qu'il cherche depuis toujours. Comme la femme vient avec, il embarque les deux dans la maison d'Outremont, avec jardin et dalmatien. « J'étais en peine d'amour du premier homme de ma vie. Un Autrichien don juan qui travaillait dans une discothèque et qui sortait avec les *bunnies*. Je pleurais tout le temps. Je pleure un peu moins aujourd'hui peut-être parce que je pisse plus. »

La revue *Les Girls* récolte un joli succès durant toute l'année 1969 : cinq femmes en humour et en chansons réglant le compte des rapports homme-femme, on n'avait pas beaucoup vu ça dans les cantons. Diane chante, Diane joue, Diane est aimée. Quand elle interprète *L'Amante et l'Épouse*, il y a des ailes d'angelots qui frôlent les spectateurs. Elle reste tout de même un peu à l'écart des mirages, comme si elle ne méritait pas ce qui lui arrive. Relents des principes judéo-chrétiens qu'on lui a savamment inculqués.

C'est l'année de Woodstock, du *Flower Power*, du *Lindbergh* de Charlebois, c'est l'année où Armstrong marche sur la Lune. Marcher sur la Lune. Tous les possibles sont là, en éventail.

Dans la maison d'Outremont, François Cousineau a parfois un peu honte des manières frustes de sa blonde. Lui aussi vient de l'est, mais il a fait des études de droit pour hypnotiser ses origines. Pour lui, pour le bien-être du couple, Diane suit les cours de cuisine du professeur Henri Bernard. Elle apprend à réaliser des plats

1980
2 juillet
Salut Champlain, bonne fête Québec sur les plaines d'Abraham, pour le 370e anniversaire de la ville de Québec. 150 000 personnes acclament Édith Butler, Zachary Richard, Yvon Deschamps et Diane Dufresne. La folie douce.

18 septembre
Spécial *Starmania* à la télévision de Radio-Canada. Fabienne Thibeault, Claude Dubois, Luc Plamondon, Michel Berger. Diane chante *Les Adieux d'un sex-symbol*. Étincelles.

compliqués avec une cargaison d'ingrédients qui virevoltent, pirouettent, planent dans la cuisine. Mais quand ça retombe sur la table, c'est délicieux. Elle bichonne, mitonne, bref tient maison. Elle file doux mais un bâton de dynamite est en train de pousser dans son cœur. Parfois elle lâche le plumeau pour chanter les rengaines publicitaires que son homme compose. « C'était un honneur pour moi de faire des *jingles* de bière. J'étais bourrée de complexes. Je ne pensais jamais que je pourrais entrer dans un univers comme celui de François, qui était déjà une vedette, qui avait ses entrées à Radio-Canada, qui travaillait avec Lise Payette. » Entre François et elle, ce n'est pas l'amour qui échevelle mais un accommodement bien agréable. Diane, qui mouche encore son premier chagrin d'amour – le fameux Helmut – ne croit pas qu'il soit possible de se lier à un autre homme. Vision romantique s'il en est.

Le parolier Marcel Lefebvre aime bien venir dîner chez cordon-bleu Diane. Marcel et François ne font pas qu'engraisser, ils écrivent à la cuisinière de gracieuses ballades qui servent de contrepoint aux premiers films érotiques du Québec, tournés dans le sillage de *Valérie* de Denys Héroux. *L'Initiation, L'Amour humain, Sept fois par jour*... : petits films assez pauvrement épicés, mais qui titillent un Québec encore tout fébrile d'être sorti des serres de l'Église. Propulsées par la belle voix lisse de Diane, les *Un jour il viendra mon amour* et *Une fleur sur la neige* agissent comme bouquets de fleurs dans les oreilles des auditeurs. Ils ne savent pas encore qu'ils vont recevoir le pot, tantôt.

1978
4 au 8 octobre
Comme un film de Fellini au Théâtre Saint-Denis. C'est la première fois que le public se déguise, selon un thème qu'elle a suggéré : Fellini. La tradition naît. Au rendez-vous : des papes, des footballeurs, des clowns, l'imagination déplie ses ailes. Elle ouvre le spectacle avec un interminable voile de mariée. « Comme je savais que je ne me marierais jamais, j'ai décidé d'épouser le public. » À la fin, les spectateurs montent sur scène pour montrer leurs costumes.

En attendant, Diane et François mettent au point un spectacle multicouleurs, des chansons des Beatles, des succès de groupes américains, des thèmes de films et beaucoup d'airs brésiliens. Diane est en voix, mais pas à l'unisson avec elle-même, un peu comme si elle marchait à côté de son ombre.

Est-ce parce qu'on est chez des artistes que la vie finit par être réglée comme du papier à musique ? Maison d'Outremont, maison de campagne, vacances, chansons publicitaires, rituel des repas. Quelque chose d'inabouti demeure chez Diane, une gerbe de désirs vagues non éclos. Elle ressent le besoin impérieux de piaffer, de casser des plats, de brandir des couteaux, d'émerger de la cuisine pour s'arracher à la musique engourdissante des jours pareils.

Elle fond en larmes à un spectacle de Janis Joplin au Forum : c'est la révélation, le coup de pied au cul et au cœur. Pas belle, autodestructrice, à la fois arrogante et complètement effrayée, accrochée au Southern Comfort qu'elle n'économise pas, Janis donne tout, sa vie, son corps, sa sexualité dépenaillée, sa mort. Elle tombe partout, mais elle chante. Joplin est l'ultime détonateur.

De plus en plus souvent, Diane se met à crier au milieu de la place : casser sa voix, la *rock'n'rolliser*, c'est sa voie, elle le sent. Elle lâche son cri primal, le chien hurle en écho. Bon signe. Il est temps de faire une chanteuse d'elle-même. *Tiens-toé ben*, Diane Dufresne s'en vient.

1978

novembre-décembre
Participe à Paris à la promotion du disque *Starmania* avec Dubois, Balavoine, Thibeault, etc. Émision spéciale sur TF1. Spirale de commentaires. « Diane Dufresne est une révolution. Elle est infernale, drôle, magique, folle. » (*F Magazine*)

décembre
Sur Antenne 2, elle est de l'émission *Avec*. Elle chante avec Georges Brassens, qui l'accompagne à la guitare, *La Chasse aux papillons*.

LES TROIS SOMMETS DU TRIANGLE

Contrairement à tout ce qui s'est dit et se dira, c'est Diane Dufresne qui présente Luc Plamondon à François Cousineau. Elle le connaît depuis son séjour à Paris. Il lui a montré des textes, elle lui a montré son eczéma, ils ont ri. Bien du monde revendique la maternité ou la paternité de Dufresne. Elle s'est façonnée toute seule. Minutieusement. De l'enfant aux broderies d'amour chantant dans les cabanes à sucre, à la fille de club grimpant dans les rideaux, à la femme hurlant au changement au milieu de sa cuisine. Tout le monde a beau avoir sur

elle des opinions tranchées comme du jambon, des souvenirs inédits de ses débuts, ceci ou cela n'en fait pas des Pygmalions.

Rétroviseur braqué sur la salle à manger de la maison d'Outremont pour un dîner historique : Luc, François et l'hôtesse, autour d'un gigot d'agneau « tellement faisandé qu'il fondait littéralement ». Pour digérer, François improvise au piano, Diane chantonne et Luc invente les premières lignes de *Tiens-toé ben, j'arrive*. Ils se stimulent, ils s'énervent les sens. Ils jettent les bases du trio infernal qui va faire la pluie et le beau temps au Québec pendant quelques années.

Le triangle d'or s'excite les neurones, travaille, s'amuse. Un œil, même pas exercé, peut capter les affinités entre Diane et Luc : détermination, invention, provocation. Maître de la ballade bien sculptée, propre sur lui, un rien snobinet, Cousineau n'est pas toujours d'accord avec les paroles de Luc, encore moins avec les cris de Diane. (Il ne sera pas le seul ; combien de gens, incapables de supporter cette plainte presque obscène arrachée des entrailles, fermeront la télé ou la radio sur Diane Dufresne ?). Faut dire qu'elle ne regarde pas à la dépense. Quand Cousineau veut arrondir les coins, préserver les bonnes mœurs musicales, Diane «oriente» la chanson. Pas d'hygiène ni de bienséance dans le rock, il faut que ça agresse, que ça hérisse. La petite histoire raconte que pour *Rock pour un gars de bicycle*, François, un peu moins fringant que sa compagne, avait traité en bossa-nova le texte de Plamondon ; c'est Diane qui a mis du kss kss là où c'était trop comme il faut. La chanson fera un malheur. Plamondon est fasciné par l'énergie farouche de Diane, par

1978
Premier bébé éprouvette.

Mort de Brel.

1979
10 avril
(et pour 25 représentations « exceptionnelles »)

Starmania au Palais des Congrès. Immense succès personnel ; pourtant « C'est le plus dur moment de ma carrière ».

5 au 8 juillet
Artiste invitée d'honneur du Festival de Spa en Belgique.

sa volonté de réussir, de mettre la charrue avant les bœufs. C'est comme s'il se regardait dans une glace : il y a son double... avec pas mal plus de possibilités vocales.

Les années 1970, mal parties avec la mort de Jimi Hendrix et de Janis Joplin, changés immédiatement en icônes, imposent l'ère du trop, principalement déclinée sur l'air de trop de morts par overdose. La musique américaine balaie les ondes, gave les discothèques, sert même de témoin dans les mariages. Tout le monde est jeune, on dirait. On est baba, béat, on a les yeux dans *la graisse de binne*, les orteils sales dans ses sabots, le corps décomplexé et le cœur en

1979
19-25 novembre
À l'Olympia avec les chansons de Strip-tease. Critiques dithyrambiques. « Deux heures à couper le souffle. » Aznavour lâche comme ça, gratuitement : « Diane Dufresne est la plus grande chanteuse française. »

Belle, libre, délurée. *Sans entracte* en 1977.

loques. (On sera banal dans les années 80, apeuré dans les années 90, holographique en 2000 !). Pour le moment, aux États-Unis, pays radar de toutes les tendances musicales, les chanteurs donnent dans l'imagerie «bi-homo-je sais pas » – bienvenue l'originalité – avec le trousseau réglementaire de maquillages, froufroutaineries, cuir. À la remorque du débraillé social, ils déshabillent, avec un beau culte narcissique, leur côté féminin. Les bas de soie de l'androgyne David Bowie, les robes de maternité du si sensuel Alice Cooper.... Les sexes ne savent plus démêler le yin du yang. Sur scène, les musiciens enterrent avec ferveur les chanteurs, on a les tympans en sang, la tête bourrée de décibels et de nuages de mari. En deux mots, c'est le triomphe de l'ambiguïté et des effets spéciaux. On ne parle plus de spectacle, il est question de machine. As-tu vu la machine de Machin ? Même Ferland, Jean-Pierre, convoque sur scène un bulldozer. La mégalomanie se fait les couilles en or.

Les chansons thèmes de films ont fait connaître Diane Dufresne sur le versant de la douceur. Alors le choc est d'autant plus grand quand paraît, en juillet 1972, *J'ai rencontré l'homme de ma vie.* Sujet ô combien pernicieux : à un feu rouge, une femme bien dans ses seins et dans sa Corvair fait de l'œil à un gars à pied (premier exemple d'« homme rose » ?). « Qu'est-ce que tu fais dans la vie ? / J'fais mon possible. Mets-tu de l'eau dans ton whisky ? Non, j'le prends straight. » On n'avait jamais eu pareilles sonorités dans les oreilles. La chanson, pétante de santé, de bonne humeur et de rythme dansant, est le succès de l'été ; l'envers, *Buzz,* ne pique pas du nez en

1979
Tournéeen Suisse et en Belgique

décembre
Lancement de *Strip-tease* à Montréal. (Elle est absente.)

Mère Teresa, Prix Nobel de la paix.

The Wall de Pink Floyd.

1980
24 juin
Elle fête la Saint-Jean au Palace, à Paris, avec 2 000 personnes qui n'ont pas besoin d'autre feu d'artifice. « Cette fois, c'est sûr, elle est folle. Folle ou géniale.... » (*Paris-Match*, 11 juillet)

célébrant les bienfaits décapants des herbes euphorisantes. De l'humour dans les bottines de l'insolence. Avec ce 45 tours se dessine le personnage : une femme qui n'a pas la langue dans sa poche, ni les jambes d'ailleurs, et qui a le sens du spectacle (ce qui, entre vous et moi, est le minimum requis quand on fait du spectacle, mais cette évidence a dû se perdre avant d'arriver chez certains...). À côté d'elle, même Charlebois, pourtant déjanté, a l'air d'un scout.

L'album, lancé à l'automne 1972, confirme la transformation intégrale de Diane Dufresne. La diseuse immobile est devenue un pétard allumé. Sur la pochette, un quai de gare désaffectée, Diane, nouveau nez au vent, altière et baveuse, dans un pantalon rayé, sous un haut-de-forme, François, le chien, toute la petite famille pose pour la postérité.

Tiens-toé ben j'arrive ! s'abat en peau et en chair de poule sur le Patriote en décembre 1972. Sur scène : une fille avec les doigts dans une prise de 220 volts. Personne dans la salle ne l'inviterait dans son salon, mais, là, à une certaine distance, elle fait du bien par où elle passe, si ce n'est qu'en déboulonnant l'image de *La Chanteuse straight* « rien qu'pour le kik d'aller jusqu'au boutte ». Et surtout, à moins d'avoir un pot de chambre à la place des oreilles, personne ne peut résister à cette voix qui vous malaxe les testicules. Dufresne diffuse une charge érotique qui excite et qui gêne. Elle libère son trésor sexuel, vide une sacoche pleine de fantasmes. Mal embouchée mais plutôt sexy, elle fripe les bourgeois qui ne détestent pas au fond – frisson d'aubaine – se faire pétrir la pâte des convenances. « Ceux qui

1980
14 juillet
Festival de jazz de Montreux. Elle chante *Love me tender* de Presley. « Dieu que c'est beau ! Du grand art. Du métier. Et le don fort rare de prouver à un public ce qu'est la beauté. » (*Alpes Vaudoises*, 15 juillet)

octobre
Au gala de l'ADISQ, « Félix de l'artiste s'étant le plus illustrée hors Québec ». Absente de la cérémonie, bien sûr.

Diane Dufresne et Luc Plamondon : le plus beau « couple » des années 70.

m'trouvent trop wild / Ceux qui m'trouvent trop weird / Qu'y s'mettent d'la ouate dans les oreilles... » Les allergies au personnage apparaissent déjà à ce moment-là : pour les uns, elle est la fée des étoiles enchantées, pour d'autres, une hystérique qui feint la liberté avec des chansons de parade. Quand la «pamphlétaire» écarte les jambes, empoigne son micro de façon suggestive, les femmes acquièrent des droits. Ce n'est pas pour rien que certaines feront d'elle leur pancarte, leur panneau de signalisation, leur paratonnerre. Dufresne se démène, Cousineau joue des cheveux, Plamondon savoure. Mais les trois mages n'ont aucune idée de la valeur de ce qu'ils font. Ce sont les premiers de cordée, lancés sur la paroi sans piolet. Le public est sonné, électrifié, pas nécessairement conquis, la critique

1980
8 décembre
Lundi, jour de l'Immaculée-Conception et de l'assassinat de John Lennon : *J'me mets sur mon 36* avec une robe de ballons gonflés à l'hélium. « Elle voulait s'envoler, je restais clouée au plancher. » Excellentes critiques, mais la mort de Lennon brise un peu le rêve des 11 000 spectateurs. Elle part pour un voyage de trois mois.

résonne. Robert Lévesque, alors à *Québec-Presse,* écrit : « ... c'est une Janis Joplin joyeuse. Elle a de Janis la même vigueur, la même détermination, la même folie du côté drôle de la vie. » La chanson québécoise a un nouveau rhésus.

Elle refait *Tiens-toé ben* au Centre sportif de l'Université de Montréal dans une robe à fleurs achetée aux puces et des souliers à semelles compensées. Elle envoie sur les roses les étudiants qui parlent trop fort. Le personnage – arrogant, franc de collier – fait sa marque. Capable de bercer comme de cogner, son répertoire compte des couteaux bien affûtés : *La Chanteuse straight, Rond-point, En écoutant Elton John, J'ai rencontré l'homme de ma vie.* Plamondon délie la langue, capte la sensibilité moderne, exprime l'esprit et l'éthique de l'époque. Sa poésie descend dans la rue, les cheveux dans la face, *chewing-gum* aux dents. L'apostrophe fait une entrée en trombe dans la chanson, elle décore chaque ligne. Mais ce n'est pas du joual, c'est du Plamondon. Plusieurs corrigeront : c'est du Dufresne.

On ne finira jamais de s'interroger sur la collaboration Dufresne-Plamondon. Il suffit d'écouter *J'ai douze ans* par Marie Denise Pelletier, *Oxygène* par Céline Dion et *Le Parc Belmont* par Luce Dufault pour comprendre que ce sont des chansons de Diane Dufresne... et de Luc Plamondon, bien sûr. Le poinçon de Diane Dufresne y est, malheureusement pour celles qui accostent ce rivage, indélébile. Heureusement pour les chanteuses, Diane refuse des textes qui font leur miel : par exemple, *Call-girl,* le principal *hit* de Nanette Workman. Elle ne sent pas la chanson, elle ne la chante pas. Plus

1980

24 décembre
Antenne 2 diffuse le conte musical électronique de Philippe Chatel : *Émilie Jolie*. Elle y chante le rôle de l'autruche.

26 décembre
Télé-Métropole diffuse la deuxième partie du spectacle *J'me mets sur mon 36,* la première étant jugée trop osée. On lui voit un bout de sein.

Les Québécois disent NON à l'indépendance.

tard, elle refusera aussi de chanter le rôle-titre dans *Gala,* la comédie musicale de Jean-Pierre Ferland et Paul Baillargeon. Elle lit tout ce qu'elle trouve sur celle qui fut l'égérie et la muse de Paul Éluard et qui forma avec Salvador Dali le duo le plus fou de l'art moderne, elle s'imprègne du surréalisme, se glisse dans l'époque. Certains mots de l'œuvre de Ferland la heurtent, désobligent la femme que fut Gala. L'auteur, c'est son droit, ne veut rien changer. La chanteuse, c'est son droit, ne veut pas chanter. L'histoire de Diane Dufresne qui ne fait pas partie de la distribution de *Gala* n'est pas plus tordue que cela. Des regrets ? Comme disait Arletty : « Ce n'est pas le genre de la maison. »

Avec le recul, on peut écrire sans offenser personne que c'est pour Diane Dufresne que Luc Plamondon a façonné ses meilleurs textes. Elle l'a défié de lâcher tous ses garde-fous, toujours prête elle-même à sauter par-dessus la rambarde, à narguer l'autorité, les dangers, l'amour, la mort... Il a eu l'interprète idéale pour incarner ses rêves les plus enfouis, moins malléable qu'il l'aurait souhaité, mais magistrale.

Après la rafale *Tiens-toé ben,* le parolier est, bien sûr, de plus en plus en demande. Tous les artistes, aux talents divers, hélas ! se sentent d'attaque pour renouveler l'exploit de Diane. Alors, Luc sème à tous vents, choisissant mal parfois le terrain sur lequel ses paroles vont pousser. Mais il veut, lui aussi, malgré sa timidité, toucher le ciel. Cet éparpillement créera d'ailleurs quelques frictions entre Luc et Diane, celle-ci ne voulant ni être annexée au «clan» Plamondon, ni attendre son tour pour la distribution de chansons.

1981
24 juin
Elle participe au défilé de la Saint-Jean.

25 juin
200 000 personnes agglutinées dans le Vieux-Port pour le mégaspectacle de la Saint-Jean. Fabienne Thibeault, Michel Rivard et Garolou. Pendant qu'elle chante *En écoutant Elton John*, un gars monte sur scène et lui arrache le micro. Elle chante *Alys en cinémascope,* avec Alys Robi,

En 1972, Diane Dufresne, la vraie première rockeuse du Québec, l'interface de Charlebois, déclenche diverses réactions, entre orchidées et oignons, qui vont de la jalousie des chanteuses aux devinettes idiotes des diffuseurs : combien de temps va-t-elle tenir avec ses cris de bête effrayée, ses costumes de carnaval, ses chansons dans le ton du temps ? Le temps d'un microsillon (vendu à 100 000 exemplaires, score épatant pour l'époque), deux ans tout au plus ? « Ce n'est pas une voix qu'on va retenir. » Ceux qui ont dit ça avaient les antennes parasitées. Diane n'écrit pas son nom sur du givre.

Elle s'obstine malgré les mauvaises langues. En 1973, deuxième raid du trio commando : *À part d'ça, j'me sens ben / L'Opéra-Cirque*. Un disque, deux astres. D'un côté, du rock dur et des ballades angoissées : *Le Tour du bloc, J'me sens ben,, Rock pour un gars de bicycle* ; de l'autre : une œuvre tragique, un opéra spasmodique sur la fin du monde qui, un quart de siècle plus tard, retentit encore, sinon plus, de toute sa gravité. « Attention la terre, on va couper l'air. » Décidément Plamondon est un visionnaire, un avant-gardiste. Le disque n'a pas l'attention qu'il mérite, mais la pochette fait son petit bonhomme de scandale : on voit Diane, bien d'aplomb, sourire plein le visage, les seins nus peints d'une fleur de lys. La photo est prise dans une ruelle : une flopée d'enfants et de femmes entre deux brassées forment un rideau humain, témoin du tissu social du début des années 70 dans un quartier de l'est de Montréal. Elle dit au journal *La Presse* : « Je m'attendais à ce que les gens soient choqués, mais les madames en bigoudis m'ont trouvée belle. »

1981

2 juillet
150 000 personnes au 14e Festival d'été international de Québec. Elle se produit avec Yvon Deschamps dans un spectacle totalement différent de celui de la semaine précédente, à tonalité plus romantique.

septembre
J'me mets sur mon 36 à Radio-Québec ; version « non censurée ».

Le Syndrome d'immuno-déficience acquise est découvert. Premières victimes.

Retour en France

Diane Dufresne, qui privilégie pourtant une approche américaine du showbiz – le talent qui claque -, est plus attirée par la France, « pays de ses premières amours » que par les États-Unis. « J'ai une voix française. » Mais les Français ne semblent pas s'en rendre compte quand elle s'amène en octobre 1973, à l'Olympia de Paris. Elle encaisse – ce n'est pas une image – la première partie de Julien Clerc, pendant trois semaines. L'aventure a mal commencé. Lors d'une entrevue à la télé de Radio-Canada, Diane déclare avec son culot de timide effarouchée que le public français ne connaît rien en musique, que le rock français n'existe pas et d'autres gentillesses du même tonneau. Ces propos farauds parviennent aux oreilles de Bruno Coquatrix, le patron de l'Olympia, qui lui télégraphie sans ménagement de ne pas venir chanter chez lui. C'est le genre de phrase barbelée qu'il ne faut pas dire à Diane Dufresne. Elle décide sur-le-champ de prendre l'avion et d'aller le rencontrer. Sous un chapeau haut-de-forme égayé d'une fleur de lys, la Québécoise rentre dans le bureau du boss... et ils en ressortent tous les deux amis à la vie à la mort. Comme Christophe Colomb découvrant l'Amérique, M. Coquatrix tiendra sur elle des propos époustouflants d'éloges.

En 1973, donc, plusieurs Français connaissent *J'ai rencontré l'homme de ma vie* (125 000 exemplaires écoulés), ils préféreraient une version «française», mais bon ! Certains ont aperçu Diane en tour de promotion : « Vous savez, messieurs-dames, celle qui chante bien mais qui parle mal. » Ils s'attendent à voir sur scène une fille superbement

1981
Mort de Brassens.

Mort de Bob Marley, qui a influencé la musique mondiale.

1982
16 février
Lancement du disque *Turbulences* à l'émission *Femme d'aujourd'hui* (Radio-Canada), qui lui consacre une heure.
« La voix de Diane Dufresne fait que chaque seconde du disque vaut dix fois son pesant de plastique. » (Yves Taschereau, *Châtelaine*, juin)

vivante... Mais peut-être pas à ce point. D'abord, elle ne mégote pas sur le costume, en empruntant à Jeanne d'Arc qui aurait pactisé avec Barbarella sa panoplie : cuirasse, gibus et bottes de sept lieues. Le couturier Marco di Nardo lui avait dit : « Tes bottes auront le trac avant toi. » Le public, lui, est tout là pour Julien Clerc, mais, tradition oblige, va pour la vedette américaine, surtout si elle est amusante.

Quand elle arrive, à des années-lumière de Françoise Hardy et de Sylvie Vartan, c'est le chaos tout de suite. La moitié de la salle est prête à l'écouter, mais l'autre hue sans demander son reste. Diane fonce, force l'hostilité, mais elle n'est pas grosse dans ses bottes, même si elles sont énormes. Les petites madames pincent le bec, collent leur sac contre leur poitrine ; les hommes sont à la fois attirés par son énergie sexuelle et aplatis pour la même raison. Bruno Coquatrix – en coulisses – se réjouit : il y a chahut, c'est un cadeau. Il renvoie Diane aux feux après son numéro, pour qu'elle aille récolter les applaudissements et les sifflets. Soir après soir, dès qu'elle pose le bout de sa botte sous les projecteurs, les huées fusent. Une fois, se croyant ailée (oui), elle veut répliquer à un couac qui provient du balcon. Elle s'élance et s'écrase... aux pieds des spectateurs. « Je ne sais pas ce qui s'est passé dans ma tête, mais j'ai pensé que je pouvais vraiment lui casser la gueule à lui, en haut. Allez-y, vous avez raison de me huer. Je suis ridicule... » En plus d'être humiliée. Silence de cercueil. Les Français découvrent une femme sous l'armure. Ils pourront dire plus tard à leurs enfants qu'ils étaient dans l'axe quand l'extraterrestre est passée. « Je faisais du rock en français, je

1982
24 mars
Hippodrome de Paris, Porte de Pantin : *Turbulences* en spectacle. Un seul soir, 6 000 personnes sous chapiteau et « sous influence dufresnesque ». Critiques unanimes. La France l'adopte. « Il faudrait écrire rien que pour elle un Larousse en mille volumes... Elle est une rafale d'or. » (*France-Soir*)

Tournée en Suisse et en Belgique où elle se produira souvent.

criais pis je chantais doux, j'avais les cheveux tout croches, j'avais pas la queue entre les deux jambes... »

La critique étale sa beurrée de mépris. Une pique, entre autres, de *France-Soir* : « Déception de taille avec la Canadienne que vous savez. On attendait l'originalité d'une voix rigolote, celle de *L'Homme de ma vie* (...), elle nous a offert des miaulements de chatte privée de sa ration de poisson. » Sous le tombereau d'injures, surgissent deux ou trois voix discordantes. Par exemple, celle de Lucien Rioux du *Nouvel Observateur* : « Un jour vous l'accepterez pour les mêmes raisons que vous la rejetez aujourd'hui. » Déjà Charlebois, en 1969, avait un peu décoiffé le monde en envoyant valser la batterie sur la tête des protestataires. Gros dégâts, Coquatrix en furie et... retour de Garou l'année suivante. Le respect s'acquiert parfois dans le vacarme. Normalement, les journalistes règlent en deux lignes le sort du chauffeur de salle. Diane a le traitement spécial : certains titres de journaux l'affichent à pied d'égalité avec la vedette : « Diane et Julien ». Mais c'est pour la griffer avec une joyeuse ferveur.

Opéra, cirque, succès

Laminée, la martienne rentre à Montréal pour préparer le spectacle *L'Opéra-Cirque*. Pas de quoi se remonter le moral. Sur disque c'est déjà l'apocalypse, imaginez sur scène ! « Je me rappelle que je m'étais dit que si un faisceau d'éclairage me touchait, je mourrai pour de vrai. C'est ce qui me permettait de crier. » Pour ceux qui ne s'en souviennent pas, *La Marche nuptiale des condamnés à mort*,

1982
30 septembre
Conférence de presse pour les deux shows au Forum. Elle annonce : « Ce sera deux shows différents, avec un entracte de 24 heures. » Une première, c'est sûr.

octobre
« Félix de l'interprète féminine de l'année » et « Félix de l'album populaire » pour *Turbulences*. Elle n'est pas à la remise des prix, évidemment ; la presse la surnomme Diva.

qui clôt l'opéra, est un carrousel de gémissements, de crissements, d'égosillements. La salle Wilfrid-Pelletier de la Place des Arts en a encore les velours qui tremblent. « Les changements, c'est toujours difficile à prendre. » Et comment ! Surtout quand il y a un tel effort à fournir ! C'est une œuvre noire qu'il faut réécouter aujourd'hui, à tête reposée, pour comprendre ce que signifie investir une œuvre, la *dufresniser*. Et aussi pour constater, si on a encore des doutes, tout le talent de Luc Plamondon.

Diane ne joue pas la fin du monde, vedette de l'*Opéra-Cirque,* elle la vit. Faut-il mourir pour chanter la mort ? Elle crée l'œuvre au premier degré : humour coupant, désespoir flamboyant. La critique délire, le mot «folie» garnit chaque phrase. Cette folie attire, irrite, effraie. Les spectateurs se rangent en files derrière chacun de ces verbes. Il y a déjà la poignée d'inconditionnels entraînés par la crue des audaces, noyau coloré d'étudiants, de jeunes professionnels, d'homosexuels qui profitent de la perche qu'elle leur tend pour revendiquer leur droit à la différence.

L'*Opéra-Cirque* la dévitalise. Diane est fatiguée, mais elle dit tout de même avant de partir pour le Mexique : « Je me donne un an. Si dans un an, on ne m'accepte pas telle que je suis, eh bien je ferai autre chose. » Quoi, quoi, quoi ?

En 1974, Beau Dommage réplique à la vague folklorisante qui submerge le Québec par un paquet de chansons urbaines, montréalaises même. Pendant des mois, des années, il n'y en aura que pour Beau Dommage. Ni folklore, ni chanson d'asphalte pour Diane

1982

29 octobre
Hollywood.
Une Bentley pure race attend Diane à la porte du Forum. Et ce mot d'Yvon Deschamps sur la banquette : « C'est la plus belle voiture au monde. Elle est à toi. Parce que ce soir, il n'y a personne à qui elle pourrait aller mieux qu'à toi. »

30 octobre
Halloween.
Elle s'objectera elle-même à la télédiffusion de cette partie, jugeant certains de ses vêtements trop osés, dont un bikini par trop révélateur.

Dufresne qui reste dans le registre de la provocation, de la continuité, de la progression.

Elle lance, en juin 1975, à l'aéroport de Dorval, le disque *Sur la même longueur d'ondes*, toujours du tandem Plamondon-Cousineau, qui contient *Chanson pour Elvis*. « Sur papier les paroles n'étaient pas transcendantes, mais quand Diane se les est mises en bouche, on se rendait compte qu'il ne pouvait y avoir d'autre interprétation possible » rappelle Ginette Nantel qui prouve du coup que Plamondon écrit bel et

1982
21 novembre
Hollywood à Radio-Canada.

Thriller de Michæl Jackson : 42 millions d'exemplaires vendus. On peut dire qu'il invente le vidéoclip.

E.T. l'extraterrestre séduit la planète.

En 1979, dans le temps de *Strip-tease*. « Donnez-moi vos désirs / Que j'les réalise / Donnez-moi vos fantasmes / Que j'les exorcise / Donnez-moi vot'violence / Que j'la neutralise / Mais y'm'faut du silence / Comme dans une église.›*

bien des chansons, c'est-à-dire des textes bâtis pour être chantés, et que l'investissement de Diane est fondamental. Sur ce disque, il y a aussi *Les Hauts et les bas d'une hôtesse de l'air, Actualités*, des chansons à personnages qui gagnent toute leur efficacité sur scène, et, comme faite d'une autre farine : *Partir pour Acapulco*, fraîche et sensuelle. Diane a découvert la ville qui se déhanche, qui inspire la musique et ensoleille son corps. Dans le paysage, il y a un homme, «Poncho», qui fait chanter son cœur. Diane a 30 ans, elle est belle, incarnée, sûre de ses membres. Faut-il vous faire un dessin ? En un an, elle ira huit fois à Acapulco «pour changer d'air, pour changer de peau »...

En novembre 1975, elle signe *Mon premier show* au Théâtre Maisonneuve de la Place des Arts. Elle devient le souffleur et le cristal de ses spectacles, les conçoit, les structure. Ce qui ne l'empêche pas d'aller à la pêche aux idées ; Plamondon n'est jamais loin de la barque. Elle écrit tout, à la virgule d'éclairage près, dessine la mise en place, fignole chaque intervention. Une fois le cadre fixé, elle se jette et donne l'impression qu'il n'y a pas, qu'il n'y a jamais eu, de filet. Aujourd'hui, elle se laisse plus volontiers aller à l'improvisation, mais, en 1975, elle consigne le moindre détail dans ses cahiers en couleurs. Pour comprendre l'importance de Diane Dufresne dans le showbiz québécois (« Le mot variétés m'a toujours hérissée. Ça fait magasin 5-10-15 »), il faut la voir à cette époque. L'expression « brûler les planches » aurait pu être inventée pour elle. Ça explose, ça sort de ses gonds, ça éjacule... C'est pas convenable, ça non. François Cousineau – décidément un peu coincé,

1983
18 août
J'me mets sur mon 36 sur Antenne 2.

Octobre
Félix du spectacle de l'année (musique et chansons) pour *Hollywood / Halloween*.

Let's Dance de David Bowie.

Colour by numbers de Culture Club (Boy George)

1984
Enregistrement au studio Trident de Londres de *Dioxine de Carbone*.

juillet
Diane Dufresne par Gaëtan Racine (Éditions Quebecor). 215 pages, 75 photos.

celui-là – lui dit après la première qu'il n'aurait jamais cru qu'elle puisse être aussi vulgaire. Aussi en chair, voulait-il dire. Objet de désir. Ses commentaires réfrigérants, pour ne pas dire machistes, n'ont pas de quoi redonner confiance à une fille qui n'en déborde déjà pas, malgré toute l'agressivité, la violence, la santé qu'elle exhibe sur scène. C'est une petite fille qui recherche encore le regard aimant de sa mère. La critique, heureusement, se fait rassurante, et le public, lui, la tête pleine d'oiseaux, lui scande des slogans d'amour.

Elle participe en décembre au Théâtre national de Chaillot au spectacle *Kébec à Paris*, avec Ti-Jean Carignan (le «violoneux»), Louise Forestier et André Gagnon. Qui c'est-ti que la critique remarque ? Diane. Oh, on la trouve drue, à l'opposé des canons de la féminité, mais on apprécie, au fond, sa volonté de ne pas marcher sur le terrain des autres. Dans la salle, il y en a encore qui quittent leur fauteuil quand Diane s'anime. Elle les embarrasse, comme une cousine de la campagne trop voyante. Ils voudraient qu'elle dégraisse son personnage, brûle ses déguisements et ravale ses cris. Pourquoi ne pas chanter la mer et le sable chaud, une fois parti, et des ballades pur sucre qui feraient pleurer Margot ? Ses cris. Comme si le rock était un paquet de ouate.

1984
4 juillet
Arrivée à Montréal avec sa panthère rose, pour rencontrer la presse au Château... Dufresne. Conférence très courue.

Lancement du disque *Dioxine de Carbone*.

Québec, Paris, Québec, Paris, Québec

1976 : c'est l'année des Jeux olympiques de Montréal et des trois médailles d'or de Nadia Comaneci, mais c'est surtout, le 16 novembre, l'arrivée au pouvoir de René Lévesque. Encore aujourd'hui, Diane

Dufresne dit « Monsieur Lévesque » avec respect et admiration. Le premier ministre éprouvait une affection particulière pour elle. Il était sûrement sensible à sa rigueur et à son opiniâtreté. C'est cet été-là, lors de la célébration de la Saint-Jean sur le Mont-Royal, avec les hommes phares de la culture québécoise (Vigneault, Léveillée, Ferland, Charlebois, Deschamps...), qu'une banderole strie le ciel : « Diane Dufresne vous souhaite une bonne Saint-Jean. » Ce n'est pas parce qu'elle n'est pas invitée – évidemment c'est un spectacle d'hommes ! – qu'elle ne peut pas faire un bisou aux Québécois. Quelques journalistes y lisent un mouvement de prétention de la «Française». Car Diane multiplie les séjours en France où son nom clignote de plus en plus. Alors on lui chante pouilles : le Québec n'est plus assez bien pour elle ? Et l'évolution, c'est quoi, un mot du dictionnaire ? « On a toujours des reproches à adresser à ceux qui font quelque chose. Le pays est jeune, parnoïaque, susceptible. » Vrai : il n'est pas question qu'elle focalise tout sur son lopin. Vrai aussi : elle aime Paris, mais elle reste québécoise jusqu'au trognon. La France traite avec égard ses

8 juillet 1976. Fin de *Mon premier show* à la Place des Nations.

1984
16 août
Première Québécoise à donner un show au Stade.
Magie rose attire 57 382 personnes, 80 % portant un élément rose.
Critiques négatives : son pourri, manque de synchronisme entre la voix et l'image (comme pour tous les spectacles, au Stade, mais ça on ne le dit pas), et bien sûr le cachet de Diane que l'on gonfle comme une montgolfière.

artistes, du moins ceux qui apportent du sang neuf ; c'est un pays autarcique, mais quand il adopte un «étranger», il ne le lâche plus. Aujourd'hui, en France, Diane Dufresne siège auprès des plus grands ; pourtant elle demeure la même, là-bas comme ici, même caractère de cochon et même droiture professionnelle. Les médias français savent le courage qu'il en coûte pour se maintenir sur la crête. Au Québec, on boude, on graffigne. Par exemple, Roch Voisine, pourtant d'une gentillesse confondante, paie un peu au Québec la note de son succès à l'étranger : on l'accuse de traîtrise quand ce n'est pas d'homosexualité. Promis, le Québec va grandir. Mais là, en 1976, on est encore bien petiot.

En tout cas, la France témoigne son appréciation à sa Diane Dufresne et le premier ministre français, Raymond Barre, lui décerne en 1977 le Prix de la Jeune Chanson. (En 1976, le groupe Beau Dommage a obtenu le second prix.) Imbroglio, quiproquo, vaudeville : Diane rentre à Montréal au moment où on annonce le nom de la lauréate. Mauvais relais de l'information, on croit et on écrit qu'elle refuse le prix. Elle doit se justifier, expliquer que non elle ne conteste pas, au contraire, enfin bref, oui, merci pour la récompense, pour l'honneur. C'est d'ailleurs un des seuls prix qu'elle acceptera, l'autre étant celui de « Ménagère de l'année » créé spécialement pour elle par le Salon de la femme, en 1971. Du temps où elle n'était que « Mme Cousineau », tablier et plumeau, Diane parlait, dès qu'elle en avait l'occasion, de l'importance d'une maison propre et des outils domestiques adéquats. Mais elle balaie toute forme de compétition et les nombreux trophées

1984
Enregistrement d'une annonce prestige pour Coke Diet.

octobre
Diane Dufresne par Geneviève Beauvarlet (Poésie et Chanson Seghers). 200 pages, presque toutes les paroles des chansons de Plamondon, zéro photo, sauf celle de la couverture ou Diane pose en Dioxine.

que lui a accordés l'ADISQ ne se sont jamais retrouvés sur le manteau de la cheminée, qu'elle n'a d'ailleurs pas.

En mars, dans un garage de la Place des Arts, on procède au lancement du disque *Maman si tu m'voyais... tu s'rais fière de ta fille*, avec, sur la pochette verso, la photo de Claire Dumas-Dufresne (la ressemblance mère-fille est stupéfiante) et, à l'intérieur, une photo de Diane, blondinette bouclée au sourire sonnant. On constate alors que le temps a beau passer, les vanités de la gloire n'effacent pas les blessures personnelles. Diane a 33 ans. Elle est convaincue qu'elle va mourir. Elle annonce la nouvelle à tout le monde, même si elle ne sait pas trop comment le tic-tac va s'arrêter. Elle flageole sur ses jambes à la pensée de la mort qui est venue piller chez elle et dont elle n'a pas eu le temps de se faire une copine. (Imaginez sa surprise de chanter encore, à 50 ans, et de toujours galvaniser son monde).

Le disque contient une chanson que Plamondon consent à cosigner avec elle : *Hollywood Freak*. Vous vous souvenez ? : « Faut qu'y en aye une qui l'fasse / Pis j'donn'rai pas ma place. » Ces deux lignes résument Diane Dufresne années 70.

Avec les enregistrements du disque, elle hisse à *la* Théâtre Maisonneuve un spectacle aux accents féministes légers : *Sans entracte*. (Probablement le premier spectacle de chansons au Québec à être présenté sans entracte). Entrée en chasseresse diabolique, loge sur scène, changements à vue, thématique dense mal assimilée. Un homme danse nu et tétanise les spectateurs des premiers rangs (Alain Bernardin, propriétaire du Crazy Horse de Paris, apprécie

1984
7 novembre
Cirque d'hiver de Paris, pour un mois : *Dioxine de Carbone et son rayon rose,* opéra-cartoon de Luc Plamondon-Angelo Finaldi, présenté dans une version dufresnisée qui ne plaît pas trop à Plamondon, pas tellement à la critique non plus.

La chicane (re)poigne entre l'auteur et l'interprète. « C'est mon show le plus hard. Il y a des gens qui ont détesté. Ceux qui ont aimé m'en parlent encore. »
Le «rayon rose» se promène en Europe.
C'est la rupture avec Plamondon.

l'impertinence et le clin d'œil...), elle simule (enfin, on le croit !) un orgasme en chantant *La Main de Dieu* (à faire fondre l'érotisme popsicle de Madonna qui n'a rien inventé, avec sa bimbeloterie, sauf qu'elle a de plus gros moyens de production), elle scandalise plus qu'elle ne rocke, agace plus qu'elle ne touche. Et le «message» féministe trop vaporeux rate sa cible. « Ça a été très dur. Le public sortait par grappes, et c'était pas les journalistes. » À l'issue des représentations, elle prend la décision – qu'elle tient toujours (rancune ? orgueil ?) – de ne plus chanter à la Place des Arts. Elle souhaitait, durant les trois semaines de *Sans entracte*, pousser la pédale de l'audace à fond : manger, dormir, vivre quoi dans sa loge. C'est fou, c'est vrai. Le syndicat rouspète, l'administration *paperassonne*. Le verdict tombe : impossible. On lui propose, à la blague de demeurer dans le garage. Elle accepte par pure provocation, s'installe dans une roulotte super-équipée, se fait réveiller par les débardeurs. Le spectacle est un désas-

1984
11 novembre
Magie rose à Radio-Canada.

24 novembre
Magie rose sur TF 1.

L'homme de cœur, Bobby Jasmin, Diane, et l'homme des projets, Guy Latraverse, à un spectacle de Charles Aznavour au Forum de Montréal, en 1980.

tre financier. Au bout de tous les comptes, il lui reste peut-être 400 $, juste assez pour nourrir les ragots de la star riche.

En juin, elle fait partie de la pléiade d'artistes invités au Stade olympique pour la Saint-Jean. Il y a à boire et à manger dans la distribution qui ramasse large : de René Simard à Colette Boky. Mais pour Diane Dufresne, la Saint-Jean 1977, c'est la rencontre de Bobby Jasmin. Il raconte : « Je l'ai connue au milieu du stade où elle s'était assise pour analyser la vue qu'auraient les spectateurs, pour capter l'ambiance. Je la connaissais de nom bien sûr, mais je ne l'ai pas reconnue quand elle est passée à côté de moi. Je la trouvais *cute*, tout simplement. Je suis donc allé la trouver pour lui demander si je pouvais faire quelque chose pour elle. Elle ne savait pas que je travaillais au stade comme préposé au terrain ; elle pensait que je l'avais reconnue et que je la *niaisais*. Alors, elle s'est dit : Je vais lui demander une chose tellement insensée qu'il va déguerpir. Alors elle me dit : Je veux prendre une douche ! Et moi je lui réponds : Pas de problème, j'en ai quatre ! Elle a ri. » Bobby Jasmin deviendra son garde-du-cœur, son garde-du-corps pendant une dizaine d'années. Aujourd'hui c'est son meilleur ami, son complice et le régisseur de ses spectacles.

Elle redonne un *Sans entracte* mûri à la fin de novembre 1977 à l'Élysée-Montmartre, à deux pas de la Place Pigalle : pas évident de faire venir le monde dans ce coin mal famé. Le «décor» lui va comme un gant : un ring de boxe. Les Français, moins réfractaires au contenu, prennent le message avec le grain de sel de ceux qui en ont entendu d'autres,

1984
Born in the USA de Bruce Springsteen.

Like a Virgin de Madonna.

1985
13 janvier
Elle participe à l'émission *Rêves à vendre*, avec Félix Leclerc. Avec lui, dans une barque, elle chante *Dialogue amoureux*. Moment magique.

avril
Maxi 45 tours *Chanson pour l'Éthiopie*. Elle fait partie des Chanteurs sans frontière. Pour récolter des fonds pour une aide humanitaire en Éthiopie.

mais trouvent la fille marrante, dérangeante, vocalement bandante. Elle présente ses musiciens en «dialoguant» avec chaque instrument : c'est l'exultation. Son passage fracasse les espérances : on se bouscule aux guichets, des gens rachètent des billets pour revenir le lendemain, on refoule des centaines de spectateurs. « Une star, une vraie, est à Paris. Une nature insensée, tellement comblée des dieux que c'en est presque trop. » (*France-Soir,* 5 novembre) L'année 1977 emporte avec elle Elvis Presley et Maria Callas. Deux galaxies s'éteignent. Elle a de l'éclat des deux.

Quatre mois plus tard, rappelée par le flot des demandes, elle revient à l'Olympia en vedette et sans première partie, du 13 au 19 mars. Pour s'y produire, elle a besoin d'aide financière, d'une subvention. Comment fait-on pour obtenir une subvention ? Elle envoie un télégramme à René Lévesque qui donne son aval. Quant à Bruno Coquatrix, il ne tourne pas autour du pot : pour lui, elle est « la meilleure chanteuse du monde ». En ce printemps de 1978, plusieurs commencent à le croire. Chaque spectacle de Diane Dufresne à Paris fait se déplacer les trois quarts de la communauté artistique qui se fait sonner les cloches de furieuse manière : Maxime Leforestier, Miou-Miou, Catherine Deneuve, Guy Bedos, Sacha Distel, Nicole Croisile, Julien Clerc, Gérard Depardieu... C'est une aubaine : tout un music-hall en une seule personne. La critique lévite, le public a le cœur sur trampoline. M. Olympia invite Diane à revenir dans son théâtre quand ça lui chante. Mais Diane ne voit le public que lorsqu'elle a quelque chose à lui dire.

1985
Tournée en France, en Suisse, en Belgique, dans les gros festivals.

16 août Anniversaire du show au Stade.
Elle revient à Montréal, rencontre la presse, remet les pendules à l'heure, explique ce qu'elle a voulu faire, sa déception.

***Comme un film de Fellini*, en 1978. La chanteuse donne des thèmes de « déguisement » au public.**

C'est tout de même au Québec qu'elle vibre le plus ; son air, son essence, son monde. Du 4 au 8 octobre, à Montréal, elle crée ce qui reste, dans la mémoire des privilégiés qui l'ont vu, comme un instant de félicité : *Comme un film de Fellini*. C'est avec ce spectacle – une fantasia – que Diane Dufresne commence à suggérer des thèmes, à orienter le déguisement de son public, à orchestrer dans la salle des tableaux vivants. « On avait tellement écrit que j'étais vulgaire que j'avais fini par le croire. » Devant la beauté de ces œuvres de chair, devant l'amour du public, comment peut-il être question de vulgarité ? C'est de folie créatrice qu'il s'agit, qui trouve son acmé dans *Le Parc Belmont* qu'elle étrenne pour la circonstance. Assurément le summum de sa collaboration avec Luc Plamondon. C'est le portrait au scalpel d'une schizophrène, «rêveuse éveillée» comme l'est en quelque sorte la chanteuse. « Quand tu es toute seule à être ce que tu es, tu te crois folle, surtout quand les autres te renforcent dans ce sentiment. Je sais maintenant que s'il y a 4 000 personnes qui marchent dans un sens, je peux marcher dans l'autre direction et avoir

1985
16 septembre
Fête pour le journal *L'humanité*.

Rock Hudson meurt du sida.

L'an 1 de la perestroïka.

raison. » Avec *Le Parc Belmont,* Diane Dufresne pousse l'interprétation dans ses derniers retranchements, aux limites du supportable. Cette chanson-label et *Les Adieux d'un sex-symbol* , datant de la même année, sont cousines : elles traitent toutes deux de folie et de mort. Donc, pas de quoi rire quand arrive, en France, la tournée de promotion du disque *Starmania.* Le sex-symbol est mal en point. Diane se remet d'une intervention chirurgicale qui a servi à lui déloger une trentaine de pierres à la vésicule biliaire.

LE SEX-SYMBOL EST FATIGUÉ

Starmania, le spectacle, s'élève en avril 1979 au Palais des Congrès – une salle immense et assez moche – après un mois houleux de répétitions. Le metteur en scène Tom O'Horgan est un fin psychologue : au début du travail, il appelle les artistes *Dear,* à la fin c'est *Dummy* pour tout le monde. Ambiance. Faut dire qu'il dirige d'énormes ego : France Gall, Fabienne Thibeault, Nanette Workman, Daniel Balavoine, Diane... pas des camarades de classe. La plus connue de la bande est bien sûr France Gall. Elle bénéficie d'un traitement de faveur : pas de perruque hideuse, pas de costumes coupés à l'équarrissoir ; elle ne peut pas décevoir son public, après tout c'est elle la vedette du spectacle, et puis c'est la femme du compositeur Michel Berger, n'est-ce pas ? Pas question d'avoir l'air d'une bergère dans le rôle de Cristal. « Je l'ai traumatisée quand je lui ai demandé : coudon, toé, où est ta perruque ? » Diane râle et envoie valdinguer costume et perruque d'office, laids à faire cailler le lait comme dans toutes les

1986
9 février
Follement vôtre à Radio-Canada. Une émission qu'elle a conçue et dans laquelle elle actualise des standards et des airs classiques : *Parlez-moi d'amour, Fascination, Addio del passato* (de La *Traviata*), *Somewhere over the rainbow.* Critiques mitigées : quoi de neuf ? Le costumier Michel Robidas pense faire un clin d'œil amusant : il grave les initiales DD sur les vêtements de la chanteuse. C'est perçu comme du nombrilisme. « Diane aime Dufresne. »

productions de *Starmania* , est-ce exigé par contrat ? Plamondon, sentant la soupe bouillante, commande une robe (toute une ! oh lala !) à Loris Azzaro qui dira de Diane : « Elle a le génie de ne pas être ridicule là où une autre serait grotesque. Essayez d'imaginer Dalida avec ça. » Jeté sur ses épaules, un manteau en vison blanc Christian Dior « que je lançais chaque soir. Le producteur me suppliait de ne pas le *pitcher.* » Le dernier soir, elle veut le donner (si, si) au public, mais il n'atteint pas les premiers fauteuils. Petits gestes délinquants qui gravent le tempérament de Diane Dufresne : ses exigences, son intransigeance et... son sens de la justice. Elle a 35 ans, le rock chevillé au corps, Stella Spotlight est une *has-been* , c'est un petit rôle. Elle n'est pas à sa place sur les plateaux à rallonge, elle n'a pas le temps d'installer la magie (pense-t-elle).

L'opéra rock de Plamondon-Berger n'enjôle pas les Français peu portés sur la comédie musicale, et n'emballe pas les critiques. (Dix ans plus tard, en France comme au Québec, les critiques, parfois les mêmes, penseront et écriront tout le contraire. Plamondon est donc vraiment un avant-gardiste.) Si, en 1979, on n'épargne pas le show – argument primaire, personnages stéréotypés, etc. – on tombe sur le derrière devant la performance de Diane Dufresne.

Le soir de la première (et des 24 autres représentations auxquels elle participe), quand elle descend l'escalier dans la robe transparente de Stella en chantant *Les Adieux d'un sex-symbol*, le public en oublie qu'il est mal assis. Elle fait mal tant elle chante bien et enfonce loin le désespoir, l'amertume du

1986
10 février
Lancement du disque *Follement vôtre.*

printemps
À son retour d'Hawaï, elle lance *Un souvenir heureux*. Gros succès.

personnage. Plamondon en a les larmes aux yeux. Dieu qu'il aime cette chanteuse. Malgré les crises, les brouilles, les menaces, les chantages qui depuis des années ourlent leur relation. Il sait sûrement qu'il n'y aura jamais plus de Stella Spotlight de cette envergure, même si *Starmania* se rend jusqu'en l'an 3000. Elle tatoue le rôle, écrasant, sans le vouloir, tous les autres, pourtant pas démunis ni en voix ni en chansons herculéennes : *Le Blues du businessman, Le monde est stone, La Complainte de la serveuse automate* ... « Jamais on n'a chanté comme vous le faites. Pour vous, je rajoute un grain au chapelet de mes admirations : Piaf, Tebaldi, Dietrich, Garland et maintenant Dufresne » s'extasie Jacques Martin dans *Le Matin*. Diane rejoint un carré d'as. Piaf, Tebaldi, Dietrich, Garland : peut-on associer la bonne humeur et un esprit de franche camaraderie à ces monstres sacrés ? Le personnage, inventé par Plamondon, transcendé par Dufresne, devient une estampille. « Je ne suis pas Stella Spotlight. Je ne porte pas de traîne dans la maison. » Les journalistes n'en croient rien et lui accolent une étiquette : diva. Avec tout le bazar, clé en mains.

Elle revient à l'Olympia en novembre de la même année avec les chansons de l'album *Strip-Tease*. Les Français sont contents de la voir, ne se posent presque plus de questions, tout au plaisir de caracoler avec elle. Ils aiment cette voix deltaplane, ces costumes totémiques, cette présence extravagante qui change du statisme un peu guindé de leurs artistes. Ils la placent dans la famille des plus grandes chanteuses du continent américain. Ils l'écrivent même dans les journaux. Il faut bien le dire, Diane Dufresne a

1986
juin
Follement vôtre remporte le premier prix de la catégorie « Présentation spéciale » au 7e Festival de la télévision de Banff.

inspiré aux journalistes leurs plus beaux papiers, les forçant à fermer le tiroir des clichés, à fouiller leur vocabulaire, à créer des néologismes pour décrire les sentiments neufs qui les faisaient grimper aux arbres. La rigueur suscite la rigueur. Elle confie à *Québec-Rock* : « Tout ce qu'on a pu dire sur moi au Québec, folle, maniaque, en France c'est considéré comme de la fantaisie, c'est pas fou, c'est mon style. »

1986
Elle représente la France, à Dakar, dans un spectacle international dénonçant l'apartheid en Afrique du Sud.

Les spectacles qui font de l'effet !

Son style flamboyant va enfiler des habits à sa démesure. Le 8 décembre 1980 – le jour même de l'assassinat de John Lennon, à 40 ans – , Diane Dufresne largue dans un Forum qui pète ses coutures *J'me mets sur mon 36*. En coulisses, elle est incapable de se tenir debout, démantibulée par un trac à se vomir la tête. Le Forum est un dragon qui crache des flammes. Elle a 36 ans, sa mère est morte à 34 ans. Rien à perdre : elle va jouer sa vie. Elle entre en scène dans une cape faite de ballons gonflés à l'hélium. « Il me semble que jusque-là je n'avais pas fait une carrière où j'étais appréciée comme quelqu'un capable de réaliser des grandes choses. J'avais peur à mourir mais je me disais qu'après avoir fait le Forum, je n'aurais plus

***J'me mets sur mon 36* au Forum de Montréal. Elle a peur, le public délire.**

rien à prouver. Je vivais à l'hôtel pour me soustraire au moindre aspect quotidien, j'étais la star qu'on voulait que je sois. Quand je suis arrivée sur scène, même tenir le micro me demandait une force incroyable. Et le public, qui m'envoyait une surdose d'amour et d'énergie, m'écrasait au lieu de me soulever. C'est le même *feeling* qu'un accident. » Comme recevoir dans la face un train rempli de 11 000 personnes heureuses de foncer. Pour Diane, c'est le début d'une série de spectacles casse-cou, mammouths. Quelques membres de son public tirent ici leur révérence, assommés par la boursouflure technique, alors qu'ils ne demandaient qu'une voix, cette voix, avec des chansons et de l'émotion. Mais il y a tous ceux qui se greffent, soulevés autant par la magie opérant sur scène que par celle tournoyant dans la salle. Diane a à peine le temps de se démaquiller qu'elle part pour l'Orient. Trois mois.

1986
4 au 27 septembre *Top Secret* au Théâtre du Nouveau Monde. Chansons inédites de Pierre Grosz. Très bonnes critiques. Les journalistes paient leurs billets.

Des voyages, Diane Dufresne en a plein ses bagages. Des parties de la boule : Tokyo, Hong-Kong, Hawaï, Singapour, Rio, Los Angeles... tant d'autres villes où elle se meut dans l'ordre des choses. Personne pour lui rappeler qui elle est. Alors, en scooter, elle infiltre les petits villages, se recueille dans au moins dix temples par jour, s'émerveille du chant des rizières, ou lit des heures durant, jusqu'à s'endormir sur son livre. Insatiable. « Elle est formidable en voyage, dit Bobby Jasmin. Libre, dégagée, curieuse. Elle n'a peur de rien, rien ne l'énerve. Une fois, à Rome où on était allés passer trois jours, on a décidé de se rendre à la mer qui est à 50 kilomètres. On loue donc une auto puis on part. Le temps de se changer, de se tremper les orteils dans l'eau et de revenir :

l'auto avait été complètement vidée. Moi j'ai paniqué, Diane trouvait ça drôle. Les achats, les bagages, même les vêtements qu'on venait d'enlever : volés. On était « à peu près » en maillot de bain. On s'est fait engueuler par les carabiniers qui nous ont traités d'irresponsables. On n'avait plus d'argent, il nous restait nos billets de train. Eh bien, on a pris le train pour rentrer à Paris. Quand on a traversé la gare de Lyon droits comme des chandelles, moi en short, Diane en maillot, il y a des gens qui disaient : C'est pas Dufresne, elle, là ? Faut dire qu'on était en novembre. »

1986
Effectue peut-être sa plus grosse tournée du Québec, pendant deux mois.

Catastrophe de Tchernobyl.

Mort de son ami Coluche.

Graceland de Paul Simon jette les bases de la world music.

Les années 80 passeront à l'histoire comme des années mauviettes. La fin définitive des *seventies* est soulignée en rouge sang par deux balles dans la poitrine de Lennon. La décennie suivante, marquée par le sceau de la facilité et de la futilité, rime avec basses calories, nez cocaïne, pensée cosmique, *cocooning* et loft, nouvel âge proliférant, attendrissement écologique, peur du sida... On regarde la guerre à la télé sans broncher d'un cil, on est immunisé, souvent gelé, on fait de l'argent, on le dit, merci la vie. La musique, après la vague extraordinaire des années 70, se remet à peine de la dictature disco, aménage les restants, fait son possible. Ce qui n'empêche pas les Michael Jackson, Madonna, Culture Club, Tina Turner, Bruce Springsteen... Michel Rivard et Richard Séguin de faire de bonnes affaires.

L'invention du disque compact en 1983 et l'apparition des premiers vidéoclips vers 1984 poussent dans les fesses du spectacle traditionnel, celui qui cherchait à établir la relation la plus directe, et la plus étroite, entre un artiste et son public. Pour égaler le débordement d'images vidéoléchées, les chanteurs s'abonnent au gigantisme. Les artistes qui le peuvent investissent les arénas et les stades, et leurs fans s'empilent les uns par-dessus les autres, quittes à ne rien entendre et à n'entrevoir qu'un bout infinétésimal de l'artiste pour lequel ils ont des étourdissements d'amour. L'écran géant relaie le rêve et rassure tout le monde : c'est d'accord, on peut s'évanouir, puisque c'est le bon chanteur du bon groupe... C'est le comble de l'artifice, le contenu se délite sous la débauche d'effets spéciaux. La technologie et la pyrotechnie rasent la musique et l'émotion.

Au Québec, les grands rassemblements revêtent une saveur politique. À une vitesse éclair, on devient un Québécois pur sirop, un vrai, un enragé. On est courageux quand on est des milliers bercés par la même vague, on flotte sur un consensus crémeux. Tout cela plaît au producteur Guy Latraverse, stimulé par les projets déraisonnables ; un peu mégalo sur les bords, il joue, il risque, il perd parfois. Il en faut des fous de son espèce. Et il faut des Diane Dufresne pour réaliser les fantaisies de l'homme d'affaires (qui aurait voulu être un artiste ?). En 1980, les Québécois ont dit Non, par voie de référendum, à leur indépendance. Alors, bien serré dans la

1987
1er mars
Top Secret à Radio-Québec.

Tourne en France, participe au Printemps de Bourges et à d'autres festivals.

Bonnes critiques françaises pour le disque *Follement vôtre*.

Dans le Vieux-Port, le 25 juin 1981, 200 000 personnes en font leur drapeau.

foule, on se fait accroire que la souveraineté n'a pas dit son dernier mot. Ça aussi c'est un spectacle qui revient sur scène – et en vedette – en 1994, comme tous les groupes et tous les espoirs qui faisaient florès dans les années 70.

En 1981, clou du spectacle de la Saint-Jean dans le Vieux-Port de Montréal, Diane est le porte-bonheur de plus de 200 000 personnes. C'est du monde, 200 000 personnes. C'est paniquant quand tu es dans la multitude à te faire transbahuter, peloter, écrabouiller ; c'est affolant quand tu es sur scène et que tu reçois cette bombe d'énergie qui t'éclate dans la tête. Plus on est de fous, plus on s'amuse ? Pas sûr. Déjouant le service de sécurité, un gars, attisé par la liberté débridée de Diane, monte à ses côtés, veut lui arracher le micro, l'embrasser, faire son show. Ivre, groggy, euphorique, amoureux, peu importe. La névrose d'un homme, l'hystérie d'une foule exigent un contrôle parfait de la folie à diffuser, du message à transmettre. « Il y a des règles à respecter, des limites au délire. On fait un show, là, on *trippe* pas dans son salon. » Certains lui reprocheront de ne pas être capable d'affronter seule (contre des milliers ?) les élans fous qu'elle suscite. Les chanteurs qui se jettent carrément sur leurs fans, qui en blessent quelques-uns au passage, se préoccupent-ils des typhons qu'ils déclenchent dans le cerveau de ces jeunes en syncope collective ? Ce sont les services de sécurité – blindés de corps et de cœur – qui s'en chargent. On ne peut pas être artiste et policier (du moins c'est rare).

Diane remet le couvert une semaine plus tard au Festival international d'été de Québec. 150 000 personnes acclament Yvon

1987
19-23 mai Casino de Paris : *Top Secret*. Critiques de haute tenue. « Diane le cyclone étonne, détonne, amuse et séduit tout en filant le frisson... Loufoque et somptueuse. » (*France-Soir*), « À ses délires, aucune limite... Elle est belle, agressive, suffocante. C'est une grande. » (*Le Nouvel Observateur*)

Deschamps, le drapeau de l'humour social, et elle, incandescente et surréaliste. Deschamps, qui a un préjugé très favorable envers la chanteuse, n'hésite pas à lui prêter (puis à lui donner) une Bentley de collection lors de sa deuxième présence au Forum en 1982. Il lui donne cette voiture pour « que je n'oublie jamais comment faire mon métier ». Aujourd'hui, l'auto de race paresse au garage, car la chanteuse n'a pas les moyens de l'entretenir. « Je la garde parce que je veux qu'on se serve du *frame* pour ma pierre tombale. C'est écrit sur mon testament. »

En 1982 sort le disque *Turbulences*, un autre bon coup de Plamondon, avec une chanson qui ne manque pas d'air : *Oxygène*. Sur ce disque, il y a aussi *Suicide* de Gainsbourg – une chanteuse lynchée par ses fans, franchement gai ! – et *La Toune qui groove*, pas le meilleur opus de Michel Jonasz. Diane prépare-t-elle en douce l'après-Plamondon ?

Au Forum de Montréal, en octobre, elle donne deux spectacles différents en deux soirs, un exploit : *Hollywood / Dame de cœur*, d'abord, *Halloween / Dame de pique* ensuite. Tous les billets se vendent en six heures. Les thèmes sont clairs, les costumes ahurissants. Dans la salle, le *party* bariolé. « Imagine la nuit que j'ai passée. C'était en quelque sorte

***Halloween* au Forum en 1982. Une sorcière merveilleuse.**

1987

27 juin
Sur M6 : *Follement vôtre*.

11 septembre
À Radio-Québec, diffusion de *Top Secret*, précédé d'une entrevue d'une demi-heure enregistrée au Ritz, avec Lise Payette.

25 octobre
Félix du spectacle de l'année pour *Top Secret*.

l'entracte. » Le public, lui, profite de cet «entracte» pour peindre la ville de ses chamarrures. Dans les bars et les restaurants, tous disent le mot de passe : « On fait partie du show de Diane Dufresne. » Une tapisserie vibrante de matelots, d'actrices à rimmel, d'androgynes, de sorcières... Certains, qui gardent la nuque raide et le petit doigt sur le pli de leur pantalon, s'interrogent tout de même : quand donc va finir l'escalade du déguisement ? Pourquoi ankylose-t-elle son talent sous les *guignoleries* ? Dans le genre, il est vrai, Diane vient d'atteindre le zénith.

Elle avait réussi son premier Forum et avait depuis chanté devant des foules considérables. « Je savais ce que c'était, mais on ne s'habitue pas. » Poussée, comblée, remplie par la musique – qui arrive d'en arrière, comme une fusée qui vous soulève et qui pourrait vous faire exploser sur les murs tant cette énergie est violente – et par le public qui, par bouffées, vous aspire puis vous refoule. C'est déjà difficile de garder le contrôle avec quelques personnes, multipliez par 12 000 et vous aurez froid dans le dos. Il faut avoir une grande puissance physique et une grande maîtrise mentale pour ne pas s'envoler ou se disloquer. Alors, comment, dites-moi, ne pas tomber dans le vide ensuite, quand les tensions devant et derrière cassent comme des élastiques, que les rêves s'écroulent dans la loge avec le remous des gens qui lui veulent trop de bien... tout de suite : « Hi que t'es bonne... Ousqu'on va manger ? » Des cigarettes brûlant les costumes, des voyeurs lisant les télégrammes, trop de bruit du quotidien après tant de fureur surdimensionnée, c'est impossible. Propriété privée, défense de

1987
29 octobre
Studio Victor à Montréal : lancement du disque *Top Secret*. Elle est à Paris, mais accorde des entrevues téléphoniques.

1er novembre
Mort de René Lévesque

1988
février
Elle est à Rio durant le Carnaval et prépare un documentaire sur l'esprit carioca.

passer, besoin de décompresser. C'est pour ces raisons que, depuis quelques années, elle s'enfuit après le spectacle, sans attendre les compliments, ces « pierres tombales » comme dit Isabelle Adjani. Elle fuit avec tous les parfums d'amour, les souvenirs fébriles de ces deux heures évanouies, l'amoncellement de fleurs. Un concentré de magie qu'elle serre contre son cœur jusqu'à la totale évaporation. « Après le Forum, j'ai attendu que toutes les roses qu'on m'avait offertes se fanent. Et je suis allée sur la montagne pour les lancer. Sous la pluie de pétales, il y a eu un bruit sourd. Quelqu'un a dit : Tiens il y a quelqu'un de mort. »

Oui, la mort lente après la fête, la dépression après l'excitation. Et la critique qui gifle : « Dame de pique, putain, sorcière, sadomasochiste, exorciste des grands malaises collectifs, Diane a enfilé mille costumes, revêtu mille masques, emprunté les détours de la vulgarité, de la violence et de l'artifice pour enfin se livrer, fragile et vulnérable. » (Nathalie Petrowski, *Le Devoir*, 1er novembre) Le mot «putain» ne passe pas, lui reste en travers des yeux et de la gorge. Elle prend

1988
25 mars
Au Colisée de Québec, *Symphonique n'roll* avec l'Orchestre symphonique de Québec sous la direction de Gilles Ouellet, avec enregistrement pour la télé. Dans une robe allégorique qui pèse trois tonnes, elle chante Mahler, Verdi, Rossini, *J'ai douze ans*, *Le Parc Belmont*, *Oxygène*...

***Hollywood* au Forum en 1982. Une Bentley l'attend à la porte...**

la décision de ne plus lire les critiques, ce qui n'empêchera pas, bien sûr, l'entourage de les lui résumer. Ce qu'il y a de bien avec la critique et l'entourage, c'est que la première a parfois tellement d'influence sur le second que celui-ci finit par douter de son opinion. « Coudon, j'suis pas sûr que j'ai vraiment aimé ça, finalement. » Ça manque de reins, parfois l'entourage, si ça ne manque pas de cœur...

Pour rester dans les airs encore un peu, Diane prend l'avion pour s'éloigner des trompettes de la renommée et des tambours de la banalité. « Tout pour éviter de devenir Diane Dufresne aux prises avec le quotidien. » Dur pour un spectateur de saisir la descente aux enfers de l'artiste qui a approché le divin. C'est quitter le ciel pour la terre. Après la pleine lumière, l'éteignoir. Le manque de ce plein-là est horrible. Désensorcelé, on est encore plus seul. Heureusement, toujours à proximité, il y a Bobby Jasmin, l'équilibre en personne. Avec lui, elle part loin, loin, pour faire la vidange de sa tête.

1988
16 juillet
Symphonique n'roll au Festival d'été de Lanaudière, accompagnée par l'Orchestre métropolitain. 10 000 personnes.

Mort de Félix Leclerc.

Private Dancer de Tina Turner.

La vie en rose, puis en noir

Elle fait bien de se lessiver les idées, car le plus gros vertige de sa carrière s'en vient. Ce n'est pas la première fois qu'on lui propose le Stade olympique. Parce qu'il souhaite voir un artiste québécois dans l'enceinte réservée jusqu'alors aux mégashows américains, aux joutes sportives et aux moqueries sur son toit, le gouvernement est prêt à octroyer l'argent qu'il faut de manière à pouvoir offrir, dans le même élan, les billets à prix populaires. Le producteur Guy Latraverse est de bonne humeur : il se dit qu'enfin le

Québec est sur la carte du monde. Diane hésite : elle est peut-être narcissique, mais pas dingue, elle ne tient pas à casser sa porcelaine sous l'éléphant blanc. Robert Vinet a l'argument qu'il faut : « Qui va le faire, si ce n'est pas toi ? » Emmenez-en des défis ! « Je savais que j'allais en prendre plein la gueule par les médias, mais je me disais en même temps que si je le faisais, il ne me resterait plus rien à prouver. »

Quelques mois avant la date fatidique, le 11 août, c'est le trac pleine puissance, olympique, qui lui met les mains dans le ventre. Mal à dormir, mal à manger, mal à respirer. La décharge d'adrénaline est un tyran. Elle regarde un verre, il casse ; elle regarde quelqu'un, il casse. Bien sûr, elle est invivable, elle a peur, elle fait peur. Son entourage fait de l'urticaire. Associée au projet, Mouffe, la première parolière de Charlebois maintenant metteure en scène, lui suggère d'ouvrir le spectacle en traversant le Stade... et en chantant, bien sûr. Rien que ça. « Mais comment peut-on chanter quand on est morte de trac ? » En compagnie de Bobby, son « ange gardien », l'homme qui absorbe les angoisses et qui connaît chaque angle du « monstre sans toit » pour y avoir travaillé, elle assiste à des matches de baseball et à des concerts pour apprivoiser la grosse brute. Plusieurs nuits d'affilée, Bobby, chrono en main, et elle arpentent les rues de Montréal pour que le geste de marcher à une cadence soutenue lui rentre dans le corps. Elle a quatre minutes, le temps de la chanson, pour accomplir la prouesse d'ouverture. Entraînement physique décervelant, régime, poids et haltères. Elle est mince, à la limite de la maigreur, mais musclée. Ses cheveux roses adoucissent

1989
26 et 28 février
Top Secret à Tokyo. Un succès monstre. Conférence de presse à l'Ambassade du Canada. Première question : « Comment êtes-vous perçue par les gens du Canada ? » Réponse : « Au Canada, personne ne me connaît. Ils vont me découvrir peut-être en lisant dans un journal que Diane Dufresne, chanteuse canadienne, a chanté au Japon. » Certains officiels ont eu du mal à avaler leurs petites saucisses cocktail.

le visage, accentuent la tristesse grise des yeux. « Quand je suis montée sur la passerelle du décor, je n'avais plus le trac, heureusement, car quand on m'a mis la traîne – portée par 80 personnes, c'est dire le poids – je me suis dit que j'allais étouffer. » Elle n'étouffe pas, elle chante clair et marche sûr, elle fait une entrée fracassante devant 57 000 personnes surchauffées dont les trois quarts portent un élément rose, couleur thème décrétée par Diane pour cette *Magie rose*. C'est Dufresne que le public rose appelle, mais il y a également Manhattan Transfer et Jacques Higelin, des magiciens aussi, dans leur genre.

1989

1er au 5 mars *Symphonique n'roll* rebaptisé *Symphonique n'rock*, à la Maison des Arts de Créteil, en banlieue de Paris avec le Jeune Orchestre symphonique d'Europe sous la direction d'Olivier Holt.

La *Magie Rose* au Stade olympique, en 1984, n'enchante pas tout le monde.

Les critiques ne lèvent pas au plafond. Comme celle, par exemple, de Denis Lavoie publiée dans les pages... Sports de *La Presse :* « ... La longue promenade surélevée prévue juste pour son entrée et sa sortie. Cet aspect du spectacle sied bien à une grande star mais n'atteint pas le cœur de la foule. Il ne faudrait quand même pas se prendre pour Michael Jackson... La grosse machine mise en place n'a pas fait voler le spectacle bien haut... Un show froid. » On lui reproche un ballot de choses mais la pire, c'est d'avoir soutiré l'argent des contribuables. Ça, c'est l'oursin dans la culotte. Les uns parlent d'un million de dollars qu'elle aurait mis dans ses poches, d'autres de 140 000 $. La rumeur s'étale dans les journaux, nourrit les tribunes téléphoniques, comble de joie les détracteurs de Diane Dufresne. Pour sa conception, pour le mois de répétitions et pour sa prestation, Diane a reçu un peu plus que ce qu'il faut pour faire réparer des dents abîmées lors d'un accident de motoneige ; rien de pharaonique, pas un cachet de diva en tout cas. « Quand je prenais un taxi et que le chauffeur avait sur la banquette le *Journal de Montréal* qui insinuait qu'on m'avait donné pour ce show 140 000 $, et qu'une partie de cet argent venait de son portefeuille à lui, ça créait une drôle d'ambiance. » Est-ce à Diane à expliquer au chauffeur que le journaliste force la note ? Aussi bien enfoncer un clou avec une banane ; c'est écrit dans le journal, il y a sûrement une part de vrai. Mais ce journaliste a-t-il publié, dans le même souci du droit du public à l'information, le montant des cachets des groupes qui se sont produits ici même avant elle ; essaiera-t-il de savoir combien on paiera Julien Clerc, en 1992, pour venir pousser paresseusement trois chansons de rien du tout lors du spectacle *Montréal, ville francophone* ? Pensez à une somme énorme et exigez-la en devises américaines. Le scandale est là : ils sont Américains, il est Français, normal qu'ils touchent des cachets exorbitants. C'est une Québécoise, c'est Diane Dufresne, elle est trop payée. Attitude de colonisés.

1989
19 mai
Symphonique n'roll diffusé à Télé-Métropole.

Ouverture du mur de Berlin et de la frontière entre R.D.A. et R.F.A.

L'incident ne va pas vaseliner ses relations rugueuses avec les médias. Ils s'acharnent sur elle ; si elle est au Québec, c'est pour siphonner l'argent des contribuables ; si elle remplit des engagements en France, on l'accuse de renier son pays et les siens. Simplisme, démagogie, *babounage*. Consigne de Dufresne à toute son équipe : motus et bouche cousue, on ne jette pas de l'huile sur le feu, on ne parle pas à la presse. Elle part pour la Californie retirer ses échardes, se refaire une santé et un teint. Son nouvel attaché de presse, Loui Mauffette, veut arrêter le toboggan des injures et des ragots ; il accepte l'invitation-crucifixion de Pierre Pascau – l'« animateur du peuple »... au manteau de vison noir ! –, la défend en ondes avec sa sensibilité et avec des faits, mais sa crédibilité est ébréchée. Diane lui en voudra de ne pas avoir respecté le silence. « Je suis arrivé après la période rose de Diane, c'est le cas de le dire. En pleine campagne de salissage. Après le Stade, ce n'était pas à la mode d'aimer Diane Dufresne. Parce que je la défendais, je passais pour un fan. » Encore aujourd'hui, ceux qui aiment Diane Dufresne sont souvent considérés comme des groupies. Car comment pourrait-on aimer quelqu'un de pas aimable ? Voulez-vous des noms ?

La vie en rose se teinte de points noirs. De retour de Californie, Diane crée, en novembre 1984, au Cirque d'hiver, à Paris, l'opéra-cartoon de Luc Plamondon et Angelo Finaldi : *Dioxine de Carbone et son rayon rose*. Dans une mise en scène de l'Allemand dynamiteur Hans Peter Cloos, qui vernit de noir l'ongle de son auriculaire. « Je chante parce que ça me délivre de ma petite misère de vivre » crie Dioxine, la rockeuse héroïne

1990
19 janvier
Symphonique n'roll sur FR 3.

24-25 février
Symphonique n'roll à Tokyo avec le New Japan Philharmonic dirigé par Gilles Ouellet.

Saint-Jean 1990. Elle laisse s'envoler sa première chanson de parolière : *Comme un bel oiseau.*

que l'on condamne à mort pour avoir décoché sur le peuple une flèche empoisonnée de rêves, le fameux rayon rose. L'œuvre ne manque ni d'audace, ni de signification, ni de bonnes chansons : *Rockeuse, Délinquante, Le Rayon rose*, mais, telle que présentée, elle reçoit des commentaires mitigés et constitue le dernier ouvrage de Luc pour Diane.

1990
16 mars
Les Hommes de ma vie, à Nanterre, avec Claude Dubois, Michel Rivard, Georges Moustaki. Une seule représentation.

LES ADIEUX D'UN TEXTE-SYMBOL

Pendant douze ans, Luc et Diane se sont excités l'un l'autre, ont joué au ping-pong des idées, se sont agglutinés. Luc a ses *bibittes*, Diane a les siennes. Ce sont deux monuments d'orgueil. Ils s'arrachent le cœur, ils se rabibochent, ils s'engueulent, ils se cramponnent. C'est un vieux couple.

Schématisons : Luc a écrit *Dioxine* comme un opéra qu'il souhaitait voir présenté dans son intégralité, sans apport d'autres chansons, et si possible au Forum. Diane ne l'entend pas de la même façon. Elle choisit le thème rose comme idée du show au Stade et y faufile quelques chansons de l'opéra. À Paris l'œuvre est aussi tronquée, entrelardée de chansons comme *Rock pour un gars de bicycle*. Plamondon trouve sa *Dioxine* abâtardie, hybride. Il rechigne, rouspète. Le grand blond avec des lunettes noires n'est pas un exemple de simplicité ni de modestie. C'est une star. Il fait des crises, il jette des machines à écrire par la fenêtre, il hurle, émiette ses interprètes, se réconcilie de façon aussi spectaculaire qu'il se brouille. En fait, il a les plombs qui sautent de temps à autre. Mais c'est un créateur, le premier véritable parolier du Québec. La rupture guette Diane et Luc depuis un bout de temps, engagés qu'ils sont tous les deux dans un tunnel de malentendus et de frustrations. Parce qu'il en a plein les bouclettes, Luc trouve un instrument de vengeance dont il n'est sûrement pas fier. Il révèle à la presse les cachets de la chanteuse, les compare aux droits qu'il perçoit pour les paroles qu'il lui écrit. Depuis, il se débrouille pas trop mal dans la vie – mais la cause des auteurs qu'il défend à juste titre n'est pas encore gagnée – et les cachets des interprètes fondent... Rappel : une interprète n'est payée que lorsqu'elle chante : ses droits commencent et s'arrêtent sur la scène.

Diane est blessée. Luc est blessé. Elle se terre et se tait, il sort et bavarde... trop. Plus expansif, il se répand dans les journaux, parle à Diane par médias interposés, la salit, la salue, lui promet un opéra-rock. L'amoureux a le bec à l'eau... C'est un impulsif, il regrette sûrement son geste.

Luc Plamondon n'est pas le seul à avoir brûlé Diane sur le bûcher public. Diane agresse par ses exigences, par ses ruades, par sa fermeté, par sa fermeture. Écrabouillé, rapetissé, on se protège en la ridiculisant, en l'humiliant même. Il faudrait apprendre à quitter les gens dans l'amour, au moins dans la dignité, juste avant que la haine n'arrive avec sa gueule de salope. Diane suscite la passion et c'est pesant la passion. Plamondon a écrit des grandes choses, Diane Dufresne en a imposé la moitié, sinon plus, elle en a inspiré autant. Comme toujours, on impute la faute de la rupture à Diane, à la méchante, avec son caractère si peu avenant, à son égocentrisme en cinémascope. Luc ne trouvera plus de Diane, Diane ne trouvera plus de Luc. Et toutes les chanteuses de l'univers n'y changeront rien. Plamondon a perdu sa voix, Diane n'a rien

1990

23-24 juin
À Québec, puis à Montréal, elle participe au spectacle de la Saint-Jean *Aux portes du pays*. Elle fait ses débuts de parolière en chantant *Comme un bel oiseau*.

22 août
Mort de Roger Dufresne. Il lègue à sa fille son « gros char ».

perdu de la sienne. La vie et le showbiz continuent, et qui peut prévoir l'avenir ?

« Luc c'était comme mon père qui me regardait danser quand j'étais petite et qui voyait toujours la petite différence que j'apportais. Il aimait ma voix. J'étais une rien du tout, une crottée. Je sortais des clubs et il m'a fait confiance. Il était beau comme un dieu, rebelle. J'ai beaucoup appris de lui. On avait une amitié amoureuse. Luc est un poète, un être sensible, un visionnaire. Il avait vu la souffrance chez moi. On est allés loin ensemble, mais je pense qu'il y avait danger qu'on stagne... On a fait des crises, on a fait des *tounes*. Luc m'a écoutée, il a su trouver les mots qui m'allaient. On faisait une fusion parfaite. Je l'ai adoré, des pieds jusqu'au dernier cheveu. Je suis contente de son succès, fière de sa Légion d'honneur. C'est mérité et Luc apprécie les honneurs. Merci, Luc, d'avoir inventé une chanson québécoise. Je bégayais et j'ai fini par crier grâce à lui. Une des plus grandes passions de ma vie, c'est bien ce Luc Plamondon... quand il baisse ses lunettes noires. Mais quand c'est fini, c'est fini. » Chapitre clos.

Années '90

Mort de Michel Berger, de Serge Gainsbourg, de Léo Ferré, de Greta Garbo...

Le retour des dinosaures, certains fiers de ne pas avoir évolué d'un iota. Même Beau Dommage se ramène le portrait.

APRÈS PLAMONDON, AVANT DUFRESNE

Si elle n'est pas bâillonnée, Diane est tout de même ballottée par la séparation. On ne quitte pas quelqu'un qu'on aime sans que le cœur se vexe. Le goût de chanter est à son plus bas. Si ça se trouve, son « caractère » tombe dans une haie d'épines. Monter sur scène et n'avoir rien de nouveau à dire, non merci. Changer de perruque et de crinoline et chanter jusqu'à l'âge d'or les « vieilles » chansons de Plamondon, aussi considérables soient-elles, non merci. On ne fait pas du spectacle dans des charentaises. Un répertoire d'appoint va permettre le

glissement progressif vers une nouvelle (eh oui encore) Diane Dufresne.

« J'avais toujours ma voix. Je pouvais retourner dans les clubs. Je me suis dit que j'allais chanter des immortelles. » Elle enregistre donc des airs classiques et des standards de la chanson française et américaine, plus *Les Dessous chics* de Gainsbourg. Elle conçoit une émission de télévision pour mettre en scène ces chansons. Évidemment cette émission, *Follement vôtre* (Radio-Canada, 1986), est déchiquetée par la critique, qui n'en rate pas une : la synchronisation des lèvres est la première appelée au banc des accusés. C'est vrai que Diane n'est pas trop à l'aise avec cette façon de faire semblant de chanter. Mais la qualité des images, l'originalité du scénario, l'interprétation de la chanteuse, c'est de la semoule ? « Diane aime Dufresne, et personne d'autre. Jamais narcissisme ne fut aussi évident... J'avais l'impression dans mon salon d'être le ver de terre invité à regarder une étoile. » (Louise Cousineau, *La Presse*, 11 février 1986). Oui, bon, passons. Au Québec, on dirait qu'on n'a retenu qu'une seule chose : « elle coûte cher ». Ses rares apparitions publiques sont commentées avec des signes de piastre. Est-ce cela qu'il faut entendre par la rançon de la gloire ? *Follement vôtre* remporte tout de même le premier prix de la catégorie « Présentation spéciale » au 7e Festival international de la télévision de Banff.

En 1986 aussi paraît *Un souvenir heureux*, la chanson thème de la télésérie *Le Tiroir secret* avec Michèle Morgan. La ballade bien cirée fait plusieurs contents et monte dans l'échelle des palmarès. Tiens, Diane Dufresne est rangée, pense-t-on.Tut tut tut.

Années '90
Naissance et mort du grunge avec le suicide de Kurt Cobain de la formation Nirvana.

Montée des intégrismes religieux.

Retour des valeurs morales.

Guerres et guéguerres.

Plongeon dans les années 70 : musique, vêtements, pensées.

De nombreux auteurs-compositeurs de France et du Québec, et pas les plus tartes, profitent du départ de Plamondon pour lui proposer des chansons. Mais une complicité comme celle qui s'est tissée au fil des ans entre Luc et elle ne repassera pas dans le secteur de sitôt. Tout de même, il y a Pierre Grosz, l'auteur de *Je voulais te dire que je t'attends*, attentif, humble. Humain. Il lui apporte des oiseaux rares : *Kabuki, Désir, La Femme tatouée.*

1991
Elle écrit *Transfert*, un scénario gravitant autour de la préparation d'un spectacle.

Septembre 1986, au Théâtre du Nouveau Monde, une salle qui semble construite pour elle et qui, surtout, la ramène à portée des gens, elle déroule *Top Secret* autour de chansons toutes inédites, certaines très fortes, de Grosz. Remballé le folklore hollywoodien des *sex-symbols*, déguerpies les filles qui vendent leur âme au rock... Un spectacle clair et sobre, théâtral. Des textes plus écrits, des thèmes peut-être moins collés à la chanteuse, mais qu'elle empoigne de façon magistrale. Le public, sur sa recommandation, s'habille en détective, en geisha, en femme et en homme du monde, et lui fait pendant un mois des torsades de tendresse. Diane semble même heureuse sur scène, c'est beau à voir. « Cette fois, j'ai eu de bonnes critiques. Les journalistes ont payé leurs places. » Ainsi, Paul Cauchon, dans *Le Devoir :* « Un voyage en montagnes russes, un délire total et contrôlé

***Top Secret* au Théâtre du Nouveau Monde en 1986. Sobre, théâtral, magnifique.**

qui, sans contredit, est un des meilleurs spectacles jamais présentés par Dufresne. On a l'impression que seule une bombe atomique tombée sur Montréal aurait pu l'arrêter. » Dans *Le Journal de Montréal*, Pierre Leroux a une façon particulière de lui déclarer son amour : « (...) Par moments, elle est tellement mongole qu'on se demande comment elle va revenir... mais elle déjoue les joies de l'équilibre et revient toujours plus forte... » Un grand moment de littérature !

Le disque *Top Secret* paraît au printemps de 1987 et le spectacle fait sensation au Casino de Paris : l'appareil critique accroche son feston de superlatifs. *Top Secret* reçoit le 25 octobre, à Montréal, le Félix du spectacle pop de l'année lors de la cérémonie de l'ADISQ. Diane brille bien sûr par son absence.

Elle vibre à Rio où elle réalise, avec les conseils techniques de Ginette Nantel, devenue réalisatrice à la télévision, un documentaire sur la ville, le carnaval, l'esprit carioca et sur l'école de samba Portela, où elle répète des pas de samba au milieu de milliers de personnes (un exploit pour une agoraphobe). Ce seul effort pour se maintenir sur la vague, du côté des choses nouvelles, la place déjà dans une catégorie d'artistes à part. Elle est peut-être nombriliste, mais elle n'a pas grand-temps pour se flatter l'ombilic au rythme où elle fait se succéder les choses. Le document sur Rio demeure inédit (excuses avancées par les diffuseurs qui hésitent à le programmer : on ne voit pas assez la vedette, elle ne chante pas, etc.), mais il y a sûrement un intérêt quelque part, car à l'été

1991
12 juillet
Apparition surprise, et délire dans la salle, au Festival Bell Juste pour rire. Elle chante, en hommage à Clémence Desrochers, *Cet été je ferai un jardin*. Toute de blanc vêtue et en superbe forme vocale.

1994, la bande maîtresse est subtilisée et des copies se vendent, sur le marché noir, à 500 $ pièce.

Diane Dufresne à qui on ne propose finalement pas grand-chose (par peur ?) accepte d'emblée, en 1988, l'idée de chanter avec un orchestre symphonique, de revisiter les grands classiques et d'habiller en robe du soir ses propres succès. « J'aime l'exceptionnel, faire des choses qui ne se feront plus. » Ça tombe pile. Sur la même longueur d'ondes, le chef invité de l'Orchestre symphonique de Québec, Gilles Ouellet, lui téléphone à Paris : « Puis-je vous voir pour vous parler d'un projet ? Quand ? Tout de suite si vous voulez, je suis à côté. » C'est le genre de folie qu'apprécie Diane Dufresne. Diva inaccessible ? Tout est tellement plus facile qu'on le croit. Les gens autour d'elle ont souvent érigé des forteresses pour que la princesse reste seule dans son donjon. Elle était complice, bien sûr. On n'élève pas des murs autour de quelqu'un sans son consentement. Une chose est sûre aujourd'hui : il y a pas mal moins de monde pour former rempart autour d'elle. Elle se défend, se protège elle-même. Avec ses éclairs et ses éclaircies.

Symphonique n'roll est créé au Colisée de Québec. La lourde robe symphonique, presque un char allégorique, rudoie le corps qui demandera réparation. Elle songe à renoncer aux costumes envahissants qui l'obligent à déployer une force d'haltérophile. « Si je chante plus juste aujourd'hui, c'est que je n'ai plus les seins écrasés, la taille étranglée. » Surtout qu'elle n'a jamais vraiment le temps de s'adapter aux costumes, ceux-ci étant terminés sur elle,

1991
12 septembre
Spectacle privé pour IBM à l'Opéra de Paris. Elle s'adresse aux petites madames chics, leur demande si elles vont se taire ou si c'est elle qui doit le faire...

quelques instants avant le début du spectacle. Elle aura éperonné une flopée de créateurs (Georges Lévesque et Michel Robidas, entre autres Québécois), élevé le costume au rang des beaux-arts, endossé de véritables trésors d'ingéniosité, par exemple une robe avec un castelet intégré. Elle interprète des personnages, il est normal de les enrober de la distance habituelle. Comme au théâtre, comme au cinéma. Chanter ses propres textes lui ôtera toute envie de se déguiser. Elle se voudra le plus nue possible.

Ce spectacle symphonique, qui lui permet d'apprécier le vrai luxe de l'accompagnement, elle le promène de Joliette à Tokyo, en passant par Paris. Ses lumières.

À Paris, elle loue depuis quelques années, dans le Marais, un appartement étonnamment grand. L'immeuble est vieux, déglingué, on y croise des drôles de tronches dans les escaliers. On ressent une paix étrange quand on entre chez elle : mobilier minimum, beaux tissus, et l'entêtant parfum de mûres. Quand elle répète ses chansons, tous les voisins de la maison d'en face ouvrent

1991
8 octobre
Les Turluteries, une idée-spectacle-émission d'André Gagnon autour des chansons de Madame Bolduc, au Centre national des Arts, à Ottawa. Elle chante *Le Sauvage du Nord* dans un costume que n'aurait pas renié Jean-Paul Gaultier.

Une robe allégorique (et pesante) pour *Symphonique n'roll* créé au Colisée de Québec, en 1988.

leurs fenêtres, visages en fleurs, pour l'applaudir.

Dans ce quartier qui a ses humeurs, Diane fait ses courses. Elle passe, on la salue, on lui fait des douceurs, on la brusque aussi parfois, la boulangère n'a pas toujours l'accueil aussi tendre que ses croissants aux amandes. Elle va aux défilés de mode, mange du cinéma et des musées, prend le métro, parle aux clochards, fréquente des scientifiques et Francine Racette, depuis longtemps sous la coupole de l'amitié. C'est une guide insolite. Parlez-en à Robert Vinet. Habillée de pied en cap en joueur de baseball, elle l'a piloté une fois dans le Paris de la brume et du soufre. Paris canaille, Paris froufrou. Dans un bar louche, des hommes, des femmes s'annexaient les organes au vu de tous. Diane n'a peur de rien, le danger l'enivre. Pulsion primitive de jouer avec le feu. À Paris, elle peut vous faire dépenser une fortune, car elle a déniché le vêtement ou l'objet – rare et souvent cher – qu'il vous faut absolument. Elle s'amuse, décroche franchement. Quand Diane Dufresne est en dehors du métier, elle est en dehors du métier. Mais le métier finit toujours par la rattraper. Et elle redevient préoccupée, angoissée, à pic.

Elle rentre à Montréal pour y goûter l'été et pour participer au spectacle de la Saint-Jean, intitulé *Aux portes du pays*. Au milieu des *sparages* de Paul Piché, du flamboiement de la tignasse de Laurence Jalbert, de la poésie remuante de Gilles Vigneault, de la tendresse étoilée de Michel Rivard, surgit Diane Dufresne, calme et fière dans son costume de mousquetaire. Avec ses cheveux lissés, elle ressemble à Greta Garbo dans *Ninotchka*. Elle chante comme pas une *Le*

1991
14 octobre
Une ville au sommet. Émission multiculturelle à l'intention des maires des villes du monde, un avant-coureur des célébrations du 350e anniversaire de fondation de Montréal. L'émission, enregistrée au Chalet du Mont Royal, plaît aux maires, mais agace les critiques.

Retour de Don Quichotte de Rivard, mais surtout, elle étrenne, sur ses paroles et sur la musique d'Yves Laferrière, *Comme un bel oiseau,* pamphlet nationaliste, chanson d'une seule occasion que lui ont inspirée des images attrapées à la télé. Elle a reçu au cœur le geste ô combien significatif d'Anglophones du Canada piétinant le drapeau québécois et toutes les valeurs qui y sont rattachées : ils marchent sur le fleurdelysé, certains crachent dessus. Ce geste la froisse, la chagrine, et du coup lui inspire un cri du cœur : *Ne mets plus jamais les pieds sur mon drapeau.* Et ressuscite alors dans sa mémoire ce dîner, un jour, chez Félix Leclerc à l'île d'Orléans. Il lui avait dit : « Tu es un merveilleux porte-drapeau. » Elle est apolitique depuis que M. Lévesque s'en est allé, mais elle défend la culture et la langue françaises.

1991
décembre
Un coffret-compilation de 28 chansons.

En 1990, elle ne sait pas encore qu'elle va écrire son prochain album, il serait plus juste de dire qu'elle ne sait même pas qu'elle peut écrire.

Alors, elle peint. Diane est allée à l'école du Frère Jérôme (alias Ulric Aimé Paradis, né en 1902), mort au début de 1994 d'un diabète qui a été plus rapide que le cancer du côlon qui avait commencé à faire ses ravages. Entré en communauté chez les Frères de Sainte-Croix à l'âge de 15 ans, tenu en laisse par ses supérieurs, il est sauvé du grand détraquement qui nous guette tous par la peinture. Mais la vie religieuse et la vie d'artiste ont du mal à se donner la main. Des dépressions le tiendront pendant de longues années éloigné de sa seule passion. Il anime un atelier où il enseigne aux élèves (entre autres, Jean-Paul Mousseau) le geste libre, l'automatisme, l'instinct, la patience, la confiance en soi, la vie. Sa rencontre avec Paul-Émile Borduas – son maître – est déterminante. Il adhère au Refus Global sans évidemment signer le manifeste – ordre religieux -, mais il en applique les principes jusqu'à la fin de son existence. Il dit aux élèves : « Allez, ne pensez à rien, donnez libre cours à vos moyens d'expression, le tableau va venir à votre rencontre. »

On lui a demandé un jour ce qu'il écoutait en peignant et il a répondu : « Diane Dufresne, parce qu'elle change toujours ». « Quand je suis allée le rencontrer la première fois, je portais une robe blanche avec un gros cordon à la taille. Un beau monsieur aux cheveux blancs – c'était lui – m'a demandé : « De quelle congrégation êtes-vous ? » Pour lui, j'aurais fait n'importe quoi, je serais même entrée chez les frères... Il enseignait à peindre sans penser, à retrouver la pulsion créatrice. Pourtant on l'a banni. Alors, on peut bien continuer à critiquer mes shows. » Parfois, Jérôme demandait à l'une ou l'autre de ses élèves le privilège d'aller passer le vendredi après-midi dans la cuisine de sa maison, pour sentir l'odeur de la nourriture, entendre la musique des chaudrons, emmagasiner des images de vie de famille. Dans les sociétés évoluées, on traite de fou celui qui tutoie les anges. Mangé par l'angoisse, soutenu par les antidépresseurs, le frère Jérôme est resté jusqu'à la fin rebelle, global. Il avait écrit sur une affichette accrochée dans son atelier : « J'ai fait beaucoup de peinture. J'ai fait un tas de mauvais tableaux. Et quelques bons. Les quelques bons ont mûri grâce au fumier des mauvais. » Maintenant qu'il est mort, on expose les tableaux du Frère Jérôme, on glorifie son œuvre, on glose sur son impor-

1992
7 février
Nippon Blues à la télé de Radio-Canada, un document personnel sur Tokyo. Ne fait évidemment pas l'unanimité.

18 juillet
Montréal, ville francophone au Parc des Iles avec Julien Clerc, Laurence Jalbert, etc. Elle fait un duo dépareillé avec Michel Pagliaro. Ils sont du même bois. 70 000 personnes.

tance. « Dans ses yeux bleus je voyais l'infini. » Après une période dite « de bonshommes et de monstres », Diane Dufresne peint aujourd'hui, avec le geste et la pensée libres, des ballerines belles à pleurer. « Ce que j'aurais vraiment aimé faire dans la vie, c'est peindre. » Sa palette est déjà riche.

1992
automne
Studio du Québec à New York : elle écrit la majorité des textes de *Détournement majeur*.

MISE EN SCÈNE, RÉALISATION, ÉCRITURE...

Son ami Coluche disait : « La vie est finie quand tu ne surprends plus personne. » Il était venu à Montréal pour faire la promotion du film *Tchao Pantin* de Claude Berri, dans lequel il cassait son image de gras rigolard. Au bout de quelques entrevues, il avait arrêté le ramdam médiatique et s'était réfugié chez Diane, au chaud entre elle et Bobby. Pendant huit heures d'affilée, ils avaient fumé des joints et ri en regardant « sur le câble, le canal des affaires à vendre ». Diane a pleuré quand Coluche est mort, en 1986 ; elle a chanté pour les Restos du Cœur, l'opération humanitaire qu'il avait lancée en 1985. La vie est finie quand tu ne surprends plus personne....

En 1991, elle conçoit *Une ville au sommet*, spectacle multiculturel télévisé offert par la Ville de Montréal aux maires des villes du monde. Pour les Québécois

En 1986, elle accorde une entrevue à Michel Jasmin, l'un des premiers à avoir soutenu et fait tourner « J'ai rencontré l'homme de ma vie ».

c'est un événement avant-coureur des célébrations du 350e anniversaire de la fondation de Montréal. Bien sûr, la retransmission télévisuelle est égratignée par la critique – à ce stade c'est du vice – qui veut savoir combien ça coûte plus que combien ça vaut. (On ne lâchera donc jamais.)

Une ville au sommet a le mérite de réunir des artistes hors du commun dans leurs pays respectifs (des empereurs, en fait, qui arrivaient à Montréal à bord de leurs avions privés), ce qui nous change des trois ou quatre faces qui pompent l'air télévisuel. La critique reproche à Diane sa prestation par trop pondérée – son interprétation de *Kabuki* ne manquait pourtant pas de panache – et, du même souffle, de ne pas crouler sous des tornades de tissu. « Je porte une robe blanche. On me trouve *drabe* . Je suis trop costumée. On me souhaiterait sobre. » Ben oui ! Quant aux maires, ils en auraient bien repris une portion.

Début 1992, elle nous envoie, comme d'autres remplissent des cartes postales, un voyage surprise : *Nippon Blues*, un document d'auteure montrant Tokyo sous un angle inédit et nocturne, loin des trappes touristiques. Images magnifiques, extraits de spectacles, entrevues spontanées, montage original. Un cadre de Radio-Canada adresse à la réalisatrice Diane Dufresne une lettre au venin dans laquelle il se demande où la Société d'État avait la tête quand elle a endossé un projet aussi peu abouti. Radio-Canada rediffuse pourtant *Nippon Blues* quelques mois plus tard.

Face à des accueils aussi franchement inamicaux, il y a de quoi avoir envie de changer d'air. Il faut s'éloigner de sa ville, s'en

1993
8 avril
Lancement du disque *Détournement majeur.*

21-22 octobre
Détournement majeur au Théâtre du Forum.

du 14 au 19 décembre
Détournement majeur à l'Olympia, à Paris.

ennuyer un peu, avant de finir par la détester. « C'est sûr qu'il faut que je paie pour apprendre. Je suis une débutante dans la réalisation, il faut qu'on me ramène à ma place, qu'on me fasse payer pour toutes les émissions que je refuse de faire en tant que chanteuse. Je fais ce que je veux, même si c'est sûrement prétentieux de commencer dans la réalisation avec un documentaire d'une heure... » Et d'avoir l'idée de radiographier au moins trois autres villes : Montréal, Paris et New York, la ville arquée d'énergie rock.

Pour écrire l'album *Détournement majeur*, elle «s'enferme» durant l'automne 1992, dans le Studio du ministère de la Culture du Québec, bien placé dans le Soho bouillonnant. Elle s'éparpille dans la ville aux arêtes vives et aux poings tendus, s'entête à parler français, suit des gars *rough* dans la rue jusqu'à leur appartement à double verrouillage juste pour voir, pour faire flamber son cœur... Elle écrit, chiffonne, réécrit, rejette, recommence, ne sait plus si elle a mangé (d'ailleurs elle se contenterait de fromage et de cornichons...), va voir des expositions, lèche les vitrines, prend les nuits à bras-le-corps, jase avec ses fantômes, fait des sessions de musique avec Marie Bernard, femme en santé, compositrice et arrangeure de talent choisie pour cet album rond-point.

Diane consulte des notes accumulées depuis des mois. « Quand j'ai la tête trop pleine, j'écris pour évacuer un peu. Pour ne pas que ça finisse par pourrir en dedans. J'ai toujours pris des notes, je les ai montrées parfois. On n'en a jamais voulu. J'en ai jeté des tonnes. »

1994

12 août
Détournement majeur, deux spectacles (19 heures et 22 heures) au Spectrum de Montréal.

15 août
Québécoise au milieu d'Acadiens, elle chante *Kamikaze* et *Oxygène* lors du grand spectacle L'Acadie parle au monde.

Déconnectée du showbiz, anonyme, à sa place, dans le travail, dans la douleur, dans la vérité de l'écriture. La solitude à l'état brut dans une ville qui fait mal aux yeux et au ventre tant Diane se dope à l'électricité, à l'adrénaline, au stress. Tenter d'écrire est pour Diane Dufresne la seule façon de reprendre contact avec le métier de chanteuse. « Je sentais une urgence. Je voulais crier au secours. Je n'allais pas demander à quelqu'un d'autre de crier à ma place. Puis Marie Bernard m'a dit : Tu n'écris pas tant que tu ne le fais pas. » Elle se met donc à la tâche, docile, appliquée, avec son vocabulaire de 2e année B, comme elle dit, et Pierre Grosz, à Paris, en fait autant, en parallèle, au cas où il y aurait panne, pour lui assurer un répertoire. Grand bonhomme.

Diane Dufresne rédige des lettres formidables qui peuvent vous scier le cœur en deux. Mais là, il s'agit de chansons. Nuance. En écrivant, elle se lâche, rentre en elle-même, pulvérise ses châteaux forts, va chercher les vieux chagrins restés sur son île. Ce travail la transfigure. Les mots finissent par se détendre, par coucher avec la musique, par fabriquer des chansons. Du rock à l'opéra.

Un soir, dans la salle à manger de son appartement à Montréal, elle chante, juste pour moi, *Cendrillon au coton* . Toutes mes fenêtres en moi volent en éclats, il y a des larmes sur mes genoux. Elle me voit, rattrape mon émotion, et son rire, qui semble monter de la terre pour passer à travers elle, jette une couverture chaude sur mes épaules. C'est aussi cela, Diane Dufresne : une femme qui regarde et qui voit.

Fin de la fille en technicolor. Diane chante Dufresne, ses préoccupations intimes et

1994
27 août
Foire agricole de Bergerac, en France. Avant qu'elle entre en scène, on fait jouer ses vieilles tounes. C'est la commotion quand elle assène son *Détournement majeur*. À la fin, plusieurs centaines de gens l'attendent pour lui dire de continuer, qu'ils l'aiment.

planétaires, le mal de vivre, le pouvoir de l'argent, l'érosion des sentiments, la mort. La maison de disques Audiogram a le béguin pour la chanteuse, mais ne se meurt pas d'amour pour la parolière. Signe des temps : pas trop de risques s'il vous plaît. Diane Dufresne reste droite sous les orages. Robert Vinet, l'homme d'affaires, l'homme de cœur, le complice de toujours – « Sans lui il y a des jours où je n'aurais pas mangé » – pose l'argent sur la table. Le disque se fait avec un budget restreint mais paroles et musiques, musiciens et chanteuse se liguent, forment un lingot. À la radio, le disque tourne modérément – et la réalité est en deçà de l'adverbe. Un peu bloqué par les directeurs de stations qui – on ne fera pas une émission là-dessus – sont plus des tripoteux de pouvoir que des amateurs de musique. Ce sont eux qui savent ce que Diane Dufresne doit chanter... pas elle ! « C'est trop *heavy*, son matériel... » C'est sûr qu'on ne glisse pas sur des patins de feutre : cet album c'est sa réponse au désordre du monde. « Quand on a une artiste de cette envergure, on ne donne pas de recette pour de l'*air play* », dit Robert Vinet. On lui dit : « fais ce que tu veux. On va t'appuyer. » Que *J'écris c'qui m'chante, La Fureur du cash* ou *Cendrillon au coton* n'aient pas été des hits est symptomatique de notre temps de pissou qui érige des mannequins Barbie en icônes. On s'en mordra les coudes.

Tout ce que fait Diane, au delà de l'attendu, en dehors de l'entendu, c'est-à-dire à peu près tout, est un terrain miné. Il est vrai aussi qu'elle n'aide pas sa cause ; elle prend les journalistes pour ce qu'ils sont, ni moins, ni plus, puisqu'ils en font autant avec elle. Pourtant, lors des rencontres avec

1994
11 septembre
Une portion de *Détournement majeur*, enregistrement fait au Théâtre du Forum, passe à la télévision de Radio-Canada.

la presse – elle en accordera de moins en moins mais elle en a consenti plusieurs – ils sont tous là, tous et même plus. Ils ont le sourire jusque dans le toupet, ils veulent la voir, en palper un morceau. Tout le monde fait patte de velours et désire être au moins un instant dans son rayon pour humer l'odeur d'une star. Elle arrive et délivre tout ce qu'elle a : sa vulnérabilité, ses gestes maladroits, ses paroles brouillées, son sourire en papier de soie, ses yeux effarouchés. Dans ces moments-là, je ferais apparaître un tapis volant pour qu'elle s'envole au-dessus de la parade. Elle n'est pas à l'aise avec les journalistes : paranoïa, délire de la persécution, mettez les mots que vous voulez. Ils ne sont pas à l'aise avec elle : paranoïa, délire de la persécution, mettez les mots que vous voulez. Le malentendu entre elle et eux part de si loin, qu'il rampe, se transmet comme un virus. « Il vient de la réputation que m'ont faite certaines personnes de l'équipe avec laquelle je travaillais dans la période Plamondon. Je n'avais pas beaucoup d'éducation, on me le faisait sentir : « Elle avec son vilain caractère, on sait bien, elle n'est jamais contente ! » Comme je n'arrivais pas à me défendre et que ça me rendait agressive, on accentuait mes travers. On mettait de l'avant mon caractère abrupt plutôt que de parler de ce que je savais faire de bon : chanter. Je ne dis pas que je n'ai pas contribué à faire bouillir la marmite. J'avais des allures excentriques, je disais moi-même que j'étais folle, ça ne gênait personne d'en rajouter. Ce qui fait qu'on m'approchait toujours avec une certaine méfiance. J'étais très timide, je le suis un peu moins maintenant, ça crée des tensions. »

1994
15 septembre
Pierre Bourgault écrit dans *Le Devoir* : « J'ai vu Piaf, autrefois. Or, je le dis sans ambage, Dufresne est la seule aujourd'hui à pouvoir s'y comparer ; elle en a la grandeur, la force, l'intelligence. Et la voix, d'une beauté incomparable, atteint le degré d'émotion qu'on croyait réservé à la môme. Diane Dufresne est aujourd'hui la plus grande chanteuse populaire au monde et essayez de me prouver le contraire, pour voir. »

Ce qui est sûr, c'est que étrillée ou encensée, elle continue de monter la côte, à une allure martiale, sans se retourner. Elle a toujours fait à sa tête, et ce n'est pas maintenant qu'elle va virer capot. Elle ne vend pas beaucoup de disques, c'est vrai, elle n'engrange pas d'argent dans des coffres, c'est vrai, mais elle peut se regarder dans le miroir. Elle est intègre et libre.

Détournement majeur, le spectacle, est « cassé » au Théâtre du Forum en octobre 1993. C'est un soulier neuf, Diane s'y sent à l'étroit. Mais il mange des croûtes en se promenant dans d'autres villes, en passant par l'Olympia, en éclatant dans quelques festivals. Il se resserre, s'effile. Diane revient à Montréal, avec des musiciens qui l'appuient enfin, qui aiment son répertoire – c'est le minimum – , qui lui redonnent le goût de la musique, de la scène, de la rencontre. Elle boucle *Détournement majeur* aux FrancoFolies de Montréal en août 1994. Deux spectacles, le même soir, pour une « vieille » de 50 ans, on aurait pu craindre le pire. Ce fut sûrement l'un des meilleurs spectacles de ses 30 ans de carrière. Elle coiffe au poteau de la Rigueur toutes les plus jeunes, plus blondes, mieux jambées. C'est *la* prototype. Elle est seule, elle est en avance. Excusez, je m'emballe, mais ce livre ne prétend à aucune objectivité.

De la salle, la rumeur d'amour monte jusque dans la loge qu'elle nettoiera tout à l'heure jusqu'à la dernière épine de rose. Il n'y a ni bar, ni salon, ni table de massage, ni caisses de champagne dans la loge de Diane Dufresne. Mais des fleurs comme vous n'en verrez jamais. Elle n'exige pas de limousine précédée d'un cortège de motards, elle ne démolit pas les chambres des hôtels où elle

1994
20-21 septembre
Son premier vidéoclip : *Le ciel connaît la musique*. Bonheur total sur le plateau.

Elle enregistre *L'Homme à puce* et *Détournement majeur*.

descend, ne demande pas qu'un étage soit transformé en salle d'exercice, c'est pourtant le vocabulaire de base de tout rocker à peu près connu. Alors qu'on range le traîneau des caprices, qu'on l'écoute chanter, qu'on la regarde respirer, souffrir, donner, aimer. « J'ai encaissé les peurs de tout le monde avant le show au Forum et ça a donné ce que ça a donné. C'est le public qui a empêché que je me casse la gueule. C'est pour cela que je m'isole maintenant avant un spectacle, que je me protège des assauts de l'extérieur. J'ai besoin de tranquillité d'esprit pour apprendre aussi à apaiser le trac. Mais je tenais absolument à mettre le spectacle à sa vraie place avant de le quitter. »

1994
octobre
Part se reposer en Californie, puis retourne à New York écrire son prochain spectacle prévu pour avril 1995.

Dans la gueule étoilée du Spectrum de Montréal, dans un collant, ma foi, seyant, la rockeuse est en voix, en tripes, en folie, en foi. Il y a le public fidèle et il y a le nouveau – les jeunes – qui l'ont découverte avec *Détournement majeur*. Un beau brassage de générations, les plus vieux se tortillant comme ils peuvent, les plus jeunes vrillant sur place. Le public l'émeut quand il chante à sa place le refrain de *Cendrillon au coton*. Il la berce, confirme, acclame l'auteure. *Détournement majeur* est à l'altitude souhaitée. Les amis Francine Racette et Donald Sutherland affichent le sourire des occasions heureuses ; Michel Tremblay a les yeux ronds de l'émerveillement ; Louise Latraverse, à genoux à la fin du spectacle, prie : « Merci, mon Dieu, de nous avoir donné Diane Dufresne. » Et le public sort avec des parcelles incandescentes dans les oreilles.

***Détournement majeur*, ou le début d'un temps nouveau.**

Ce public, à nul autre pareil, provoque la plus longue tirade de Diane. « Je supporte la vie parce que quand j'arrive devant le public, je trouve ma vérité. Bien sûr que je monte sur scène pour aller chercher de l'amour. Et il m'en donne beaucoup, beaucoup. Le public québécois aime la musique, il est généreux, attentif, talentueux. Il sait reconnaître les artistes. On m'a souvent reproché de faire un *ego trip*, mais un bon spectacle, c'est du temps qu'on se donne à soi pour le redonner aux autres. Tu ne peux pas ne pas tenir compte du fait qu'il y a des gens qui mettent une partie de leur paye pour venir *tripper* avec toi. Quand tu es sur une scène, il ne faut pas faire semblant d'y être. Il faut foncer, se défoncer, crever. Moi je donne mon énergie, ma vérité... et le public me donne une noblesse.

« J'essaie de vivre mon angoisse avant le show. J'ai peur, ça revole sur les murs, mais quand j'arrive pour la rencontre, souvent le trac s'est calmé et je peux me concentrer sur ce que j'ai à faire, c'est-à-dire centrer l'énergie. Pour ça, il faut que mon corps transpire toutes mes chansons comme par automatisme, car sinon je ne peux pas m'en rappeler. Quand j'arrive sur scène et que le public m'envoie trop d'énergie, parce qu'il est content de me voir, ma voix baisse d'elle-même, si je reçois trop d'émotion, je peux avoir du mal à respirer. Il faut doser. Je me sens bien sur scène quand on peut presque voir l'équilibre : c'est un point ténu, comme un moment d'accord parfait, comme la fusion dans l'acte d'amour. Ce n'est pas seulement moi qui dirige. C'est comme pour un fil-de-fériste : la tension du fil doit toujours être à point. Si tu ne réussis pas à aller chercher le public, tu ne peux lui en vouloir. C'est comme pour une opération ; ce n'est pas la faute du patient, parce qu'il est plus malade que l'autre... »

2044
Diane Dufresne a 100 ans.

Les imbéciles qui accusent Diane Dufresne d'égoïsme, donc de ne rien donner aux autres, l'ont-ils vue sur une scène ? Le public, c'est quoi ? Un faisceau de fagots ? Parce qu'il comprend sa démarche évolutive, qu'il la suit, qu'il l'appuie, on l'accuse de « public qui aime trop ». Qu'est-ce qu'un public qui aime trop ? Celui qui part en chaloupant, content ?

Personne au Québec a un public comme celui-là. Personne ne lui donne autant. On peut bien rire de cette relation artiste-public mais on ne peut la nier. « Quelqu'un a déjà dit que je pourrais entraîner les spectateurs à prendre des fusils. Faut être con, comme si j'avais envie de les armer...» Il y a des risques, il est vrai, à enflammer l'imagination. Car il y a des êtres plus fragiles, à la santé mentale titubante : ceux qui chaque matin lui apportaient du pain, ceux qui décrochaient ses vêtements qui séchaient sur la corde, ceux qui garnissaient un arbre devant chez elle de décorations de toutes sortes, ceux qui lui écrivaient chaque jour des lettres d'amour démesurées. « Je leur ai dit calmement que ça me dérangeait, que ça me faisait peur. » Luc Plamondon a déjà dit : « Elle libère son public en poussant jusqu'au bout la folie que chacun possède au fond de soi. » En fait, elle démontre une chose simple, c'est que l'homme est plus fort qu'il y paraît. Il y a du divin en lui. Il est celui qu'il pense qu'il est. Ce n'est pas une abstraction : essayez, vous verrez.

Un jour, une mère a pensé que son fils s'était suicidé à cause de Diane Dufresne, parce qu'il l'aimait à la folie et que la relation était impossible. Mais il y a aussi l'exact contraire. « Je suis sûre qu'elle a empêché des gens de se tuer, qu'elle a aidé des femmes à se prendre en mains, qu'elle a redonné l'espoir à ceux qui n'en menaient pas large » dit une spectatrice. Un autre dit : « J'ai mis tout mon argent dans les spectacles de Diane Dufresne, ici, à Paris, à Tokyo, dans des costumes pour aller à sa rencontre, etc. Ça m'a apporté beaucoup plus de joie que les drogues. Je profite de Diane depuis plus de vingt ans. Depuis le temps que je la suis, que j'apprends à la connaître à travers ses spectacles, j'ai l'impression, à chaque fois, de voir une amie de longue date qui me donne de ses nouvelles en chantant. » Et celui-ci encore : « J'ai découvert Diane Dufresne quand j'avais huit ans, avec *Rock pour un gars de bicycle* . Ses cris, surtout, me fascinaient. Je comprenais, sans pouvoir le rationaliser bien sûr, que j'avais le droit, moi aussi, d'être moi-même, de ne pas jouer au hockey si je ne voulais pas. Elle me rassurait sur ma différence. J'ai passé toute mon adolescence dans un envahissement de Diane Dufresne. » Une dernière, pour montrer les excès sympathiques : « J'ai déjà passé treize heures au téléphone, avec une amie, à parler de Diane Dufresne. Les oreilles ont dû lui siffler. »

Il n'a pas douze ans, le public de Diane Dufresne. Ce sont parfois des présidents de compagnies d'informatique, des metteurs en scène reconnus, des gens d'affaires établis... tous veulent tout simplement être là quand elle passe parce qu'elle fait du bien. C'est tout. Aimer, recevoir, donner.

Septembre 1994. Diane Dufresne veut se remettre à écrire, à agripper ses désordres intérieurs. Elle retourne à New York pour écrire son prochain spectacle, son prochain album ... un livre, qui sait ? Il faut qu'elle écrive ce qu'elle ne sait pas dire, qu'elle écoute le bruissement de sa forêt. « Je dois vivre un peu si je veux avoir quelque chose à dire. »

Déjà l'automne farde les feuilles, Diane Dufresne part pour la mer. Le corps aussi parfois crie grâce. « Rien que du sublime. » Ce sont les premiers mots que j'ai notés en commençant ce livre...

J'ai toujours cru à la vie,

plus qu'à la renommée.

Bien sûr! bien sûr!

il y a l'instruction,

il y a le savoir,

il y a les techniques,

il y a, il y a, il y a...etc.

mais tout ça doit passer par

l'entonnoir de l'instinct

pour être digéré par

la vie.

frère Jérôme

D. DUFRESNE.

On sent chez toi un sentiment d'urgence de dire et de faire les choses, comme si tes jours étaient comptés, à moins que ça soit ceux de la planète ?

Quand on est conscient deux secondes, on sait qu'il y a une urgence planétaire, mais il y a toujours eu dans l'histoire ces alertes rouges. Le fait de vieillir aussi motive l'urgence d'agir, de s'élever spirituellement, de retrouver l'âme que l'on a égarée dans sa course... On finit toujours par revenir à la source, à l'enfance, au Créateur, peu importe le nom qu'on lui donne.

Pour que j'aie osé écrire, il fallait qu'il y ait urgence. Alors je ne sais pas si cet effet d'urgence marque une dernière fois ou la première fois de quelque chose. J'ai commencé à écrire quand j'ai reçu des informations qui m'ont touchée profondément et que je me suis sentie le devoir de véhiculer. Je suis tellement ignorante. Je devrais, à mon âge, être rendue beaucoup plus loin, avoir accompli beaucoup plus de choses. J'ai toujours fait la même affaire.

On ne peut pas te reprocher d'être restée assise sur tes acquis. Tu peins, tu écris tes shows, tu as rédigé un scénario, tu as réalisé des documentaires... Écrire des chansons t'a même redonné le goût de chanter. C'est pas mal.

Je suis une instinctive qui essaie de penser le moins possible. J'écris avec mon cœur, pas avec mon cerveau. Je sais que ce que j'ai écrit n'est pas très gai, mais il n'y a pas de quoi l'être. Écrire m'a permis de libérer quelque chose qui demandait à sortir. C'était là depuis toujours comme une boule, comme une douleur. Comme quoi ça prend parfois bien des années pour extirper de soi un petit bout de l'essentiel. J'aurais pu commencer plus tôt, mais ce n'était pas le bon *timing*. Je trouve une joie dans l'écriture. Et la joie est un pas vers la sagesse.

Éprouves-tu la même joie à être sur une scène ?

Je suis timide et solitaire. Ça m'en demande plus pour monter sur scène. Le creux de la vague, après un show, est épouvantable. Il y a des grands vertiges. J'essaie de me tenir pour ne pas sombrer. Je prie. Mais en même temps je sais que c'est normal d'aller dans le fond. Je vais voir car il y a des choses à apprendre. Quand on est rendu en bas, on ne peut que remonter. Moi, je ne reste pas au neutre, il n'y a aucune dynamique dans le neutre.

Tu es proche du monde de la science. Comment s'est fait le contact ?

Il y a quelques années, avant de subir une intervention chirurgicale, j'ai décidé de consulter d'autres médecins que les traditionnels, et je me suis retrouvée, à Paris, dans le bureau du Dr Nadine Schuster, spécialiste en médecine de l'énergie. Elle m'a accueillie par : « Ça fait quinze milliards d'années que je vous attends, allez-vous faire quelque chose pour nous ? » J'ai trouvé ça étonnant. Je lui ai dit que j'étais chanteuse. Elle m'a répondu : Il faut écrire. J'ai coupé net : ben, j'écris pas ! Elle a insisté : Vous en faites pas, je vais vous donner ce qu'il faut pour écrire. J'ai répliqué : Un crayon ? Elle a dit : Non, de la poussière d'étoile...

Au début Nadine m'a nourrie à l'arsenic. Le poison, moi, ça me convient parfaitement. C'est un peu sucré d'ailleurs... Puis elle m'a mise en relation avec des scientifiques. Elle m'a conseillé des livres, des auteurs : Capra, Stephen Hawking, etc. Je trouvais ça compliqué, mais en même temps je trouvais une poésie qui me fascinait. J'ai assisté à plusieurs conférences d'Hubert Reeves et à de nombreux colloques de scientifiques. Au milieu de l'obscurité, il y avait toujours une petite lumière qui me faisait rêver, qui m'inspirait. Les scientifiques sont des chercheurs qui partent à l'aventure, ça me rejoint. L'important est plus de chercher que de trouver. Les scientifiques m'ont souvent dit : Si chacun fait un changement dans son univers, ça peut changer quelque chose car on devient une force. L'homme est le pont entre l'Univers et la Terre. On est des dieux, avec un petit d. Alors, je me suis mise à écrire, à faire ma petite part de changement.

Mais les gens ont peur du changement, de l'inattendu que pourtant ils espèrent toute leur vie. Cette peur, qui a remplacé le stress, bloque les courants d'énergie. On enlève aux gens de plus en plus de choses, ça coûte de plus en plus cher, toutes sortes de maladies émergent... alors on oublie à quel point on a du pouvoir. Dans l'absolu et si l'on y croit, on est tous des poètes, des écrivains, des peintres...

Tu es plus dans l'action que la majorité. Est-ce une façon de déjouer la mort ?

Maintenant que j'ai écrit une chanson sur la mort (*New York Requiem*), je me dis que si je devais mourir, j'irais vers les étoiles beaucoup plus vite. C'est sûr que si je l'avais au bout du nez, je ne sais pas comment je réagirais. J'ai eu peur de la mort pendant tellement d'années : je n'arrivais pas à dormir, parce que je craignais que la mort me prenne dans mon sommeil. Maintenant je m'endors mieux pour la même raison, parce que la mort ressemble au rêve. Et puis savoir qu'on est de la poussière d'étoile, qu'il n'y a pas d'enfer, que les anges veillent sur nous, que l'invisible est plus présent que la réalité qu'on voit avec ses petits yeux, ça apaise. Je pense que la mort – quand elle n'est pas commandée par une maladie effrayante – est plus simple que la naissance. On s'abandonne à la mort, mais on crie en joualvert quand on sort du ventre de sa mère. C'est d'une violence inouïe.

Il paraît que c'est humain de ne pas vouloir mourir. J'ai vu des gens mourir quand je travaillais à l'hôpital et ils accueillaient ce passage avec une sorte de soulagement. J'ai moins peur de la mort qu'avant. La première phase, en tout cas, semble pas mal : tu as l'air de flotter, de voir une lumière. J'espère qu'il y a une lumière, parce que moi j'ai terriblement peur du noir. Penser à la mort me met parfois dans des états grandioses...

Comment les anges sont-ils arrivés dans ta vie ?

Par Dr Nadine Schuster qui m'a conseillé de lire Gitta Mallasz. *Dialogues avec l'Ange* et les autres petits livres de Mallasz m'ont révélé des choses extraordinaires : que la parole est créatrice, que rien n'est impossible, que le passé est dépassé, que l'homme est le Divin, etc. Tout ce qui faisait mon affaire, quoi ! Depuis j'ai découvert qui sont mes trois anges – tout le monde en a trois – et je leur parle, car on ne touche pas à Dieu comme ça, sans intermédiaires. Je les trouve assez rock n'roll d'ailleurs, ce ne sont pas les angelots charnus qu'on a toujours vus. En fait, ce sont, dans l'invisible, des répliques de nous-mêmes. On agit pour eux ; c'est pourquoi il faut être fier d'être humain. Les anges c'est de la puissance. Quand j'ai des problèmes, je les appelle. Ils viennent toujours...

Crois-tu avoir donné tout ce que tu avais à donner à ton métier ?

Disons que j'ai fait un bon tour. Tant que je serai stimulée, je serai là. Jusqu'au bout. J'ai la motivation de faire des choses nouvelles, de ne pas me répéter, même si j'ai répété souvent les mêmes chansons. J'ai chanté longtemps *Les Hauts et les bas d'une hôtesse de l'air, Le Parc Belmont*... Quand je fais *Le Parc Belmont* sans éprouver d'émotion et que le monde en ressent, c'est un manque de vérité. C'est facile pour moi de donner de l'émotion, mais je ne veux pas qu'on en voie quand il n'y en a pas.

Tu ne fais pas le métier comme les autres.

Je le fais, je crois, comme le faisaient sans doute Piaf, Ferré, Gréco. Il fallait être un peu kamikaze pour chanter comme Gréco, à l'époque, Prévert et Boris Vian. Je viens de cet esprit-là. Des fois je me demande si le showbiz est encore mon métier tellement il fonctionne différemment aujourd'hui, de manière comptable.

Les médias et toi, comment ça va ?

Je fais mon métier en ligne droite. Je n'ai jamais su comment fonctionner avec les journalistes, je n'ai jamais compris le mode d'emploi. Qu'est-ce qu'ils attendent ? Je me présente à eux avec toute ma sensibilité, ma mauvaise humeur si je suis de mauvaise humeur. Moi, je prends leurs sautes d'humeur, pourquoi n'accepteraient-ils pas les miennes ? Je n'essaie pas de plaire aux journalistes. Je m'adresse à un être humain et je lui fais confiance. Les journalistes ne sont pas tous des scélérats, il y en a qui sont intègres, mais il reste qu'on leur accorde une importance démesurée. Les journalistes arrivent parfois avec une idée préconçue. Ils vont mettre en titre la phrase qui dépasse, celle que tu as dite à la fin d'une entrevue de trois heures, parce que tu es fatiguée... Ils disent parfois que tu perds le fil, que tu es décousue, mais si tu as le malheur de leur demander c'était quoi la question, ils ne s'en souviennent plus...

Tu as déjà été blessée par la critique ?

Bien sûr. C'était une époque où je me posais beaucoup de questions. Et puis j'étais flattée qu'on m'accorde autant d'importance. Mais quand un jour tu lis le mot *putain* dans un papier, là tu trouves qu'on y va un peu fort... et tu te dis : Pourquoi les journalistes ne font-ils pas ce qu'ils aiment ? Je ne dis pas qu'on ne peut pas critiquer. Je suis contre la critique faite par des gens incompétents, inintelligents, pas intègres. Mais je suis quelqu'un de vivant. J'essaie de ne pas m'attarder au figé. Aujourd'hui j'arrive plus facilement à transformer en énergie positive les mesquineries, les méchancetés. Quand une chose te blesse ou blesse ceux que tu aimes, il faut apprendre à extraire l'émotion de ces blessures. Il faut te battre contre le négatif, tenter d'y trouver quelque chose : un petit bout de création, une idée, une force. Je supporte mal le manque d'intégrité et de respect. Je ne me cache plus pour le dire aux gens concernés. Je n'ai aucun égard pour les gens qui n'en ont pas envers moi. Un artiste doit être jugé pour son travail. Une journaliste a déjà parlé des cheveux gras d'une actrice. Lui a-t-on senti le fond de culotte à la journaliste ? C'est un manque de professionnalisme et d'intelligence.

Y a-t-il des peurs que tu n'arrives pas à surmonter ?

J'ai peur du noir et des ascenseurs. Je vais monter dix étages à pied plutôt que de me résigner à prendre un ascenseur. Si je m'y retrouve, qu'il tombe en panne et que le noir surgit, il faut absolument m'assommer, sinon je tue. J'ai peur du noir démesurément. J'ai aussi peur de l'avion, mais je le prends quand même. Ma passion des voyages surpasse ma peur.

As-tu déjà eu envie d'avoir un enfant ?

Ça n'est jamais arrivé. Je n'ai jamais été enceinte. Ce que je n'ai pas ne me manque pas. La maternité, c'est un appel du ventre. J'ai toujours eu trop d'angoisses pour donner ça à quelqu'un. La peur que j'ai au ventre quand je prépare des shows a pris toute la place. Et puis je ne suis pas sûre qu'aujourd'hui j'aimerais apprendre à mon enfant qu'il peut mourir en faisant l'amour.

Que représente l'amitié pour une solitaire comme toi ?

C'est capital et ça se mérite. Il ne faut absolument pas de trahison. L'amitié c'est un fil d'argent, quand on a tout perdu, que les grandes passions sont passées. L'amitié ouvre sûrement les portes du paradis.

Vieillir t'effraie-t-il ?

Je ne pensais pas que la vie durait aussi longtemps. Il paraît que tu restes sur terre tant que tu as quelque chose à faire. Avant, vieillir m'affectait. Comme je fais un métier public, je me suis demandé si je n'allais pas me faire tirer ceci, remonter cela. Puis j'ai refusé cet esthétisme artificiel. Pas question qu'à force de liftings, je devienne un cartoon de moi-même. En fait, tu éprouves un malaise vers 40 ans, puis tu te dégages peu à peu de ton corps, tu sais que tu n'en joueras plus, et tu deviens plus libre. Maintenant j'ai le goût d'aller voir jusqu'où on vieillit. C'est sûr, je n'ai plus la même jeunesse, ça change un peu la vie et la façon d'approcher physiquement les êtres et les choses. Mais pourquoi avoir honte de son corps ? Ce serait avoir honte de la vie qui y est passée.

Ta rencontre avec les anges a consolidé ta recherche spirituelle.

Instinctivement quand l'être humain est confronté à quelque chose de très important, il prie. Alors, je ne sais pas si c'est le bon Dieu, mais je sens des ondes, une énergie. C'est quelque chose qui lève, qui est presque palpable avec la tête et qui fait qu'encore aujourd'hui, les rayons du soleil je pense parfois qu'ils brillent juste pour moi.

Comment te vois-tu plus tard ?

Je ne me vois pas. On a tellement idéalisé, surtout nous les femmes, on s'est inventé des tas d'histoires, un prince charmant, tout ça... À un moment donné, on renonce, on n'attend plus rien et c'est peut-être à ce moment-là que les choses arrivent. J'espère simplement faire quelque chose de complètement différent.

Qu'aimerais-tu qu'on retienne de toi ?

Le meilleur. J'ai fait ce que j'avais à faire. Ce n'est pas important de laisser quelque chose. Je suis dans le lâcher-prise. C'est parce qu'on lâche prise que vient ce qui doit venir. Je suis réceptive. Mes portes sont ouvertes, du moins plus qu'avant. Ne tenir à rien : c'est une discipline de tous les instants.

DISCOGRAPHIE

1968

Mon coeur est fou \ Dans ma chambre (45 tours) Music-Hall *MH 3518*

1970

Un jour il viendra mon amour [Extrait de la bande sonore du film « L'initiation »] (45 tours) Initiation *INI500*

Une fleur sur la neige [Extrait de la bande sonore du film « L'amour humain »] (45 tours) Initiation *INI-502*

Il m'aimera \ Si j'étais le soleil (45 tours) Grand-Prix *GP-5334*

Here and Now \ So much for love (45 tours) Initiation *INI 550*

1971

Sept fois par jour \ Ram Da Dou Di Dah [Extrait du film « Sept fois par jour »] (45 tours) Able *AB704*

Les enfants du paradis \ J'ai besoin de ton amour [Extrait du film « Sept fois par jour »] (45 tours) Able *AB-712*

1972

Le diable est parmi nous \ [Extrait du film « Le diable est parmi nous »] D'vant ma télévision, j'mennuie de toi (45 tours) Gap *AP-205*

J'ai rencontré l'homme de ma vie \ Buzz (45 tours) Barclay *60208*

Tiens-toé ben j'arrive (Microsillon) Barclay *80143*

En écoutant Elton John \ Rill pour rire (45 tours) Barclay *60239*

1973

J'ai rencontré l'homme de ma vie \ En écoutant Elton John (45 tours) Barclay *61740*

Pars pas sans m'dire bye bye \ D'vant ma télévision, j'mennuie de toi (45 tours) Barclay *60256*

À part de d'ça, j'me sens ben \ Opéra Cirque (Microsillon) Barclay *80172*

Rock pour un gars d'bicycle \ On n'a pas le temps (45 tours) Barclay *60272*

1974

Tu m'fais flipper \ À part de d'ça (45 tours) Barclay *620054*

Mon p'tit boogie woogie \ Le mariage de la charmeuse de serpents (45 tours) Kébec-Disc *KD10101*

1975

Sur la même longueur d'ondes (Microsillon) Kébec-Disc *KD703*

J'ai besoin d'un chum \ Sur la même longueur d'ondes (45 tours) Kébec-Disc *KD10103*

Chanson pour Elvis \ J'ai vendu mon âme au rock'n roll (45 tours) Kébec-Disc *KD10104*

Chanson pour Elvis \ Actualités (45 tours) Barclay *620145*

Les grands succès (Microsillon double) Barclay *75017*

1976

Partir pour Acapulco \ Les hauts et les bas d'une hôtesse de l'air (45 tours) Kébec-Disc *KD10107*

Mon premier show (enregistrement public à la Place des Arts, novembre 1975) ; (Microsillon double) J'arrive *J909\910*

Pars pas sans m'dire bye bye \ Rock pour un gars d'bicycle (45 tours) Barclay *2030*

1977

Maman si tu m'voyais... tu s'rais fière de ta fille (Microsillon) Barclay *80270*

Chanson pour Elvis \ J'ai besoin d'un chum (45 tours) Kébec-Disc

1978

Tu m'fais flipper \ Mon p'tit boogie woogie (45 tours) Barclay *620501*

Vingtième étage \ Chanson pour elvis (45 tours) Barclay *620362*

Diane Dufresne à l'Olympia (Enregistrement public à l'Olympia de Paris, mars 1978) ; (Microsillon) Barclay *80286*

Starmania Les adieux d'un sex symbol \ Le rêve de Stella Spotlight (45 tours) Kébec-Frog *KF8001\2*

J'me sens ben (Enregistrement public à l'Olympia de Paris – Volume 2) ; (Microsillon) Barclay *80288*

1979

Starmania « Le spectacle » (Enregistré au Palais des Congrès de Paris, avril 1979) ; (Coffret) WEA-Filipacchi Music *66089*

Strip-tease (Microsillon) Barclay *80294*

J'ai douze ans \ Alys en cinémascope (45 tours) Barclay *62660*

1982

Turbulences (Microsillon) Kébec-Disc *KD532*

Oxygène \ Partir pour la gloire (Maxi 45 tours) RCA *RC61122*

Les grands succès... Chanson pour Elvis \ Strip-tease (Microsillon) Barclay *200347*

1983

Le disque d'Or de Diane Dufresne (Microsillon) Barclay *90393*

1984

Délinquante (version instrumentale) (45 tours) Kébec-Disc *KD9248*

Dioxine de carbone et son rayon rose (Opéra-cartoon de Luc Plamondon et Angelo Finaldi) (Microsillon) Kébec-Disc *KD607*

Rockeuse \ La vie en rose (45 tours) Kébec-Disc *KD9261*

Rockeuse \ Délinquante (45 tours) RCA *PB61497*

Magie rose (Enregistré au Stade Olympique de Montréal, août 1984) ; (Microsillon) Kébec-Disc *KD618*

1985

Chanteurs sans frontières (Participation pour l'Éthiopie) (Maxi 45 tours) *PM00001*

1986

Follement vôtre (Microsillon) Amérilys *AM1002*

J'tombe amoureuse (45 tours) Amérilys *AM101*

Un souvenir heureux \ Le tiroir secret (45 tours) Kébec-Disc *KD5048*

1987

Top secret (Microsillon) Amérilys *AM102*

La femme tatouée (45 tours) Amérilys *AM 103*

Kabuki \ Les héros sont fatiguants (45 tours) Amérilys *AM104*

Elsie saisie par le démon \ L'assassin (45 tours) Amérilys *AM105*

1988

Master Série (CD) Polygram *8353432*

1990

Master Série vol. 2 (CD) Polygram *8469212*

1991

Diane Dufresne (Coffret de 2 CD) Amérilys *AMCA 1003\ AMCB 1003*

1993

Détournement majeur (CD) Amérilys *AM 1005*

TABLE DES MATIÈRES